안소영 1화

깨진 유리조각, 보도블럭 바닥에서 선명하게 보이는 피
지금 마시고 있는 레드와인에 짙은 빨강색에 소름이 끼치
는 이 유도 전부 그날이 떠올라서이다.

어두운 밤 희미한 가로등 불빛 아래에 있는 보도블록에
선명하게 남아있는 짙은 빨강색 피 그 와중에 짧은 파란
색 머리카락의여자는 유리 조각을 주워 제 목을 여러차례
긁는건 선명하게 보였다.

　"안돼.. 안돼요.. 안돼!"

무슨 이유에서인지 나는 그녀를 보고 목청이 터져라 비명
을 질렀다. 어차피 내가 말린다고 해도 저 여자는 죽을게
뻔한데 설령 기적적으로 살아난다고 해도 다시 자살 시도
를 할게 안봐도비디오인 그런 상황에서 지금 이 순간에도
내가 그녀를 향해 소 리를 지른 이유는 아직도 모르겠다.

아마 전에 사귀였던 밝은 보라색 여자 양다혜에 대한 기
억 때문인지 아까전에 편의점에서 마셨던 버드와이저 맥
주 캔에 알딸딸한 감정때문일지도모른다.

그건 중요치 않으니까.

그저 지금은 이 여자를 살려야 겠다는 생각이 들었다.

1

일단 하얀색 타미 진스 티셔츠를 찢어 만든 거즈로 그녀의 목을 최대한 쎄게 눌렀다. 한바탕 소동이 나고 나서야 주위에 사람들의 반응이 달라졌다. 구급차를 타고 응급실에 도착하자 하얀 가운을 입은 의사와 간호사들이 그녀를 데리고 곧 바로 수술실로 데리고 갔다.

이상하다. 양다혜와 해어진 이후에 이런 감정은 처음인데 다시는 다른 사람을 사랑하지도 사랑을 받지도 않기로 결심했는데..순간의 충동적인 행동이 어떤 결과로 끝날지도 모르겠는데.. 이래도 될까?..나는 수술실 밖에 있는 의자에 앉아서 어떤 말로도정리할수가 없는 생각들이 머리에서 충돌하기 시작했다.

이윽고 수술이 끝나자 지친 얼굴로 마스크를 벗은 의사선생님이 그런 내 앞에 나타나 물었다. 마치 이런 일이 흔하다는 표정도 지으면서 말이다. 그의 눈빛은 조금 허망한 표정이었다.

"다행히도 숨은 붙어 있어요."

의사선생님은 덤덤한 말투로 말했다.

그 말에 이상하게 눈물이 한 방울씩 떨어졌다. 이상하다. 이상하다.분명 저 여자는 또 저런 일을 할것이 뻔한데 또 유리 조각아니면 커터칼로 목을 긋는 것은 기정사실인데 왜 내가 저러는 걸까?

어차피 곧 죽을 인간따위에 감정을 갖는건 이상한걸 알면서도 나는 그녀한테 감정을 가지게 된걸까?

2

안소영 2화

"기자 양반 영화 좋아해요?"

어두운 밤 광화문 포시즌스 호텔 스위트 룸에 있는 짙은 빨강색 1인용 쇼파에 앉아 다리를 꼰체로 크림색 제냐 정 장에 네이비제냐 셔츠 그리고 짙은 제냐 빨강색 넥타이에 짙은 갈색 크로켓엔 존스 구두를 신고 짧은 주황색 머리 에 약간에 포마드를 발라단정한 머리에 안소영은 검은색 듀퐁 라이터로 쿠바산 시가에 불을 붙쳤다. 곧 이어 그녀 의 입에서 도넛 모양에 연기가 나왔다.

"어렸을때 영화에 관심이 많아서 장르 안 가리고 영화란 영화는 많이 봤지. 특히 골목 구석 오래된 영화관에서 주 말마다 하는 심야 영화는 빠지지 않고. 이게 또 별미거든. 코카 콜라하고 싸구려 사카린이 범벅으로 뿌려진 팝콘 먹 으면서 보면 말이야."

그녀는 옛날 추억이 떠오르는지 웃음을 지으면서 말했다.

"자꾸 뜬 구름 잡는 말씀만 하시지 마시고 왜 저를 불렀 는지 이 야기나 해주세요. 이러면 저 곤란해요. 선생님."

기자는 존중어로 이야기했지만 그 안에 핀잔 섞인 불만도 들어있는 목소리로 말했다.

"그 중에서 로버트 드 니오가 나오는 영화를 좋아했 지."

기자의 말을 무시하고 그녀는 콧웃음을 지었다.

3

"아뇨. 선생님. 영화 배우 이야기하고 지금 저를 늦은 시간에 카메라 스텝하고 같이 부른 이유가 뭐냐고요?"

기자는 화가 난듯 아까전부터 빈정 섞인 목소리로 말했다.

"이 양반 성질머리하고는 참.. 로버트 드 니오가 찍은 영화 중에 히트라는 영화가 하나 있어. 왜 그런거 있잖아. 형사들에 감시망을 피해서 아슬아슬하게 범죄를 저지르다가 사랑하는 사람때문에 들키게 되고 목숨조차 잃게 되는 그런 흔하디 흔한 이야기를 다룬 영화말이야. 내가 지금 딱 그 기분이거든. 겉으로는멀쩡한 척 하면서 사랑하는 사람때문에 미련을 버리지 못한 그 기분. 아무리 떨쳐내려고 해도 결코 떨쳐낼수 없는 그림자 같은 사람. 그런 사람이 나한테도 있거든."

그녀가 조금 웃는 얼굴로 말했다.

"방금 전에 파란색 정장 세트 입은 짧은 보라색 머리 여자아이 말하는건가요? 안소영씨."

기자는 조금 차분한 목소리로 말했다. 아까전에 흥분된 목소리와 다르게 아까전에 안소영의 목소리에서 약간 눈물에 젖는 느 낌이 들었기 때문이었다.

억지로 숨기려고 해도 나오는 슬픈 감정이 그녀의 목소리에서 나와서 아까전에 흥분한 목소리로 말한게 조금 미안하다는 감정이 든 생각이 들지만 미안하다는 말 은 하지 않았다.

어차피 지금 미안하다는 이야기를 꺼내봤자 달라질 건 없으니까.

4

"아니 그 아이는 아니야."

안소영은 쿠바산 시가가 든 손을 떨면서 말했다.

"꽤 오래전 이야기지. 희미하지만 희미하지도 않은 이야기 말이야."

안소영 3화

인생은 과연 무엇을 위해서 살아가는 것이고

나는 그 물음에 어떤 답을 해줄수 있을까?

아마 모른다고 말하는 것이 더 정확한거겠지...

그 물음에 답변을 해줄 정도로 난 오래 살지 않았고

설령

그렇다고 해도 대답해줄수 없는 거니까...

"아... 아.."

말하는 것조차도 버거웠다. 아까전에 유리조각으로 목을 그으려고 했던 상처가 깊어서 그런것 같다. 순간적으로 죽기 직전에장면들이 스크린의 단편 영화처럼 재생이 된다.

이제야 기억이 난다.

나는 기적적으로 이 자리에 살아 있구나.

지금 나는 희미한 골목길 가로등 길에서 유리조각으로 스스로목을 긋고 저승에 있는 것이 아니라 하얀색 환자복을 입고 목에는 피범벅이 된 하얀색 타미진스 티셔츠와 붕대가 감겨져 있고링거가 내 오른쪽 팔에 꽂아져 있는 상태니까. 이상하다. 분명살고 싶지 않아서 목을 그었고 죽을 줄 알았는데 죽지 않고 이자리에 있게 만든 사람은 누구일까?

그 궁금증이 생길 무렵 검은색 모자에 검은색 바탕에 키스 해링 그림이 그려진 유니클로 반팔 티셔츠에 하늘색 리바이스 501청바지를 입고 짙은 빨강색과 노란색 그리고 초록색 선이 그려진 주황색 반스 신발을 신고 모자로 가린 짧지만 선명한 주황색머리카락이 100미터 아니 1000미터 앞에서도 볼수 있는 여자가 응급실 문을 열고 천천히 걸어오기 시작했다. 사연 있어보이는 검은색 눈동자는 조금 피곤한지 아니면 나 때문인지 조금 희릿하게 보였다.

"괜찮아?"

이윽고 그 여자는 천천히 걸어 내 침대 앞으로 와 내 귀에 작은 목소리로 속삭였다. 운명인걸까? 이게 사랑이라는 걸까? 그건 잘 모르겠다.

나는 사랑이라는 감정에 대해서 잘 알지 못하니까. 하지만 이 괜찮다는 목소리 하나로 살아가야겠다는 생각은 들었다.

돌리켜보면 그때 그 순간 처음으로 살고 싶다는 생각이 들었다. 아마 그때가 내 인생이 바뀌는 순간이었던것 같기도 하고

안소영 4화

"내가 너의 인생을 찾아주는 것이 아니야. 너가 정해."

목 부위의 상처가 어느 정도 낫고 퇴원까지 일주일 정도 가남자 안소영은 병원 옥상에서 싸구려 라이터로 메비우스 담배에 불을 붙치면서 말했다.

"아직 생각은 안 해봤어요. 언니."

나는 덤덤하게 병원 옥상에 있는 벤치 의자에 앉아 말했다.사실 생각이고 뭐고 해보고 싶지는 않았다. 내 인생은 그럴여유조차도 없는 오로지 어렸을때부터 지금까지 누가 이래라 저래라 시키는대로 살아왔고 그게 괴로워서 어두운 여름날 스스로 목숨을 끊으려고 유리조각으로 목을 그었으니까..

그런 나한테 인생은 내가 찾아주는 것이 아니라고 너가 정하라고 하는 어른은 처음이여서 꽤나 당황스러웠다.

그 이후의 대답은 꽤 의외였다.

"너 나랑 같이 살아볼래?"

그녀는 웃으면서 담배를 회색 잿덜이에 비비면서 말했다.

"네?..."

나는 순간 놀라서 아무 말이 나오지 않았다.

7

"왜 이리 놀래? 그냥 예 아니요로만 대답하면 되잖아."

그녀는 웃으면서 나의 어깨를 툭툭 쳤다. 이상하다. 이
상하다. 분명 저 여자도 여태까지 봐왔던 스쳐지나갔던
다른 사람들과 별반 다를바가 없을 것 같은데 그런데도
왠지 이번에는 다를 것 같아서 그 손을 잡고 싶어졌다.

그때는 그래야만 할것 같았다.

"그래. 그럴게요. 언니."

나는 웃으면서 안소영 언니한테 말했다. 이왕 망한 인
생 어차피 죽었어야 했을 인생따위 살려준 사람인데 뭘
째째하게 간이나 보고 있는거야?

강바다. 손을 내밀어 줬을때 잡아야지 라는 마음이 더 컸
으니까 말이다. 지금 과거의 두려움과 안 좋은 결말과는
전혀 다를거라는 믿음은 잘 모르겠지만 뭐 어때?

차가운 겨울의 날씨가 오늘따라 조금은 따뜻하게 느껴
진다.

안소영 5화

이 곳에도 사랑이 있을거라고 믿은 제가 잘못이겠죠.

계절은 어느 순간 지나 아침부터 더운 7월달이 되었다. 마치 신발 밑창이 다 녹아흐를 정도로 날씨가 뜨겁다. 7월 초부터 이렇게 더우면 어쩌자는 걸까.. 않는 소리가 저절로 나왔다.

담배라도 피우려고 했는데 날이 너무 더워서 차마 피지는 못하겠다.

나는 한시라도 빨리 이 더위를 피하기 위해 밖으로 들어가려던 순간 갑자기 걸려온 전화로 제자리에 멈추고 말았다. 타케시 레몬이다.

별로 받고 싶지는 않지만 어쩔수 없다. 나는 건물 안으로 들어가다 말고 공터에 서서 전화를 받았다.

"지금 막 도착했습니다. 네.. 서류는 그 쪽에서 다 처리했다고 아이만 데려가라고..."

말이 다 끝나기도 전에 그녀의 잔소리가 이어졌다. 아이의 눈을 보고 데리고 오라는 말부터 너가 데리고 오는 아이들이 약해 빠졌다고 지난번처럼 엉망진창으로 아이 데리고 오면 너목아지 날라갈거라는 말로 전화가 끊어졌다. 씨발... 지 멋대로 전화를 끊을 거면 왜 건거야? 라는 말이 목 젖까지 올라왔지만 참았다.

전화가 끊어지자 마자 머리가 정말 지끈거렸다.

오늘 하루는 거지 같다는 생각이 머릿속에 가득했다.

나는 그늘에 들어가서 이마에 흐르는 땀을 연신 소매로 닦으면서 건물 안으로 들어갔다.

9

오늘 방문한 장소는 시골에 있는 보육원이다. 어렸을때 내가살았던 곳이기도 하다. 거의 10년 가까이 흘렀으니 시설도 좋아졌을거라고 생각했지만 시설은 거의 그대로 였고 입구 계단은 여전히 높이가 제각각이였고 금 간 창문과 벽에는 낙서가가득했다. 보육원이 아니라 폐가라고 해도 전혀 이상하지 않을 정도이다. 아마 인색함을 넘어 애들을 노동착취해서 돈을버는 지독한 원장 덕이겠지.

나는 옛날 생각에 혀를 차면서 한쪽으로 기울어진 유리문을 힘차게 열었다. 향간에 소문으로는 이 보육원이 전두환씨의 아내인 이순자씨의 소유라던데 전직 대통령의 아내가 소유한 보육원이 이렇게나 부실하면 관리라도 해야 하지 않나.. 라는 생각이 들었다.

안으로 들어가자마자 노동착취가 있다는 소문과 별반 다르지않았다. 냄새만 맡아도 역겨운 지독한 표백제 통에서 숙박업소에서 맡긴 수건이나 세탁류들이 들어가 있고 세탁물을 압축해서 눌러주는 기계 쓰는 돈이 아까웠나본지 독한 표백제통 안에서 작은 아이들이 맨발로 들어가 그 세탁물에 물기를 빼고있었다.

그 광경을 보면서 지독한 표백제 냄새 때문에 코를 막고 있던와중에 허름한 옷 차림의 어린 여자아이가 계단을 급하게 내려오고 있는 것이 보였다. 아마 10살짜리 아이로 보이는데 그 여자아이는 머리가 잔뜩 헝그러진체로 나한테 달려왔다. 나는 본능적으로 그 아이를 안아올렸다.

그 아이는 울고 있었고 나 는 그 아이를 안아서 달래보려고 했지만 전혀 소용이 없었다.

 "이게 무슨... 왜 그래?"

10

아이는 그저 계속해서 울뿐 아무 말도 하지 않았다. 그때 내 손등으로 무언가 빨강색의 찐득한 액체가 흘렀다. 피였다. 순간놀라서 확인해 보니 그 여자아이의 이마가 찢어져 있었다. 우선나는 상처가 더 심해지는걸 막기 위해서 수건을 아이 이마에 가져다 댔다. 그리고 보육원 교사를 찾기 위해서 주변을 둘러보는데 갑자기 누군가를 부르는 큰 소리가 들렸다.

"강수영!"

그 소리에 여자아이는 불안한듯 더 크게 울기 시작했다. 아마이 아이의 이름인듯 했다. 소리가 들린 쪽을 봐라보자 다른 쪽에서 여자아이 하나가 계단을 내려오고 있었다. 빠른 속도로 계단을 내려온 아이는 내 앞에 멈춰서 새카만 눈동자를 번뜩였다. 그리고 겁먹은 기색 하나 없이 또박또박 말했다.

"걔 내려놔요."

침착한 말투와 다르게 온 몸이 떨리고 있었다. 처음에는 분노때문에 그런 것이라고 생각했는데 자세히 보니 왼쪽 주먹을 쥔 손에서 피가 뚝뚝 떨어지고 있었다.

당황스러웠지만 침착하게물어봤다.

"애 이마 너가 그랬니?"

"네"

"왜?"

11

"쟤가 먼저.."

"이게 다 무슨 일이야!"

아이가 입을 여는 순간 사람들이 다급하게 달려왔다. 보육원 원장과 교사 2명이다. 그중 젊은 여자 교사를 보자마자 품에 안겨있던 아이가 발버둥치면서 그 교사 품 안에서 울고 있었다.

"엄마!"

품에서 내려놓자 마자 아이는 교사한테 다가가서 안겼다. 그 교사는 아이를 안고 급하게 사라졌고 원장은 전두환의 아내와 친한 친구답게 그 특유의 독한 년 같은 표정을 지으면서 나를 쳐다봤다.

"또 너니? 너는 도대체!"

원장이 손을 들어올렸다. 하지만 아이는 피하지 않고 살기가 서린 눈빛으로 원장을 쳐다보았다. 나는 재빠르게 둘 사이에 끼어들어서 원장의 손목을 잡았다.

"지금 뭐하는거죠?"

나는 원장에 손목을 강한 힘으로 쥐면서 말했다. 더 이상 밀리지 않겠다는 강한 태도로 그녀를 몰아붙쳤다.

"선생님이야말로 뭐하세요? 애 다친거 안 보여요?"

원장이 그때서야 아이를 힐끔 봐라봤다.

"누구인데 아이를 데리려 오셨죠?"

나는 본능적으로 그 아이를 내 다리 뒤로 숨긴 다음에 말했다.

"아이를 데리려 왔습니다. 어머니 이름이 안소영인데..."

내 말이 끝나기 전에 저 년이 말을 먼저 끊어버리고 말했다.

"아 안소영씨요? 마침 잘됐네."

"네?"

"제가 추천한 아이가 저 아이거든요. 그 쪽 뒤에 있는 애. 서류는 저희가 다 알아서 처리했으니까 데리고 가세요. 최대한 빨리."

"그게 무슨.."

"참.. 답답한 여자네.. 데리고 가라고요. 서류 필요해요?"

좆 같은 년, 씨발년, 칼로 쑤셔버리고 싶은 년이라고 쏘아붙이고 싶은 말투로 말하는 원장의 말투가 정말 거슬렸다. 정말 기가 막히는 씨발년이다. 그 아이는 내 다리 뒤에 숨어서 여전히 눈을 번뜩이면서 원장을 응시하고 있었다. 그래 내가 참자. 어차피 저 년은 원래 그런 년이니까 내가 어찌 할수가 없지...

13

"아뇨 됐습니다."

나는 퉁명스럽게 말했다.

"그럼 샘이 데리고 가요."

원장은 퉁명스럽게 말하고 자리를 떴다. 저렇게 쓰래기 같은 년이 보육원 원장이라니.. 이 나라 볼 장 다 봤구나.. 같은 생각이 들었다. 나는 저 년을 칼로 쑤셔버리고 싶은 마음을 참고 아이 앞에 무릎을 꿇고 앉았다.

"야."

내가 불러도 아이는 미동조차 하지 않았다. 우선 급한 대로 손 상태부터 확인했다. 아이의 손을 잡고 손을 확인하려고 했지만 고집이 쎄서 그런지 주먹을 쉽게 풀지 않았다.

"아까 그 아이한테는 왜 그런거야?"

내 물음에 그 아이는 주저하지 않고 답했다.

"걔 잘못이에요. 걔가 다른 애들을 고아라고 놀렸거든요. 걔 는 보육원 원장이 엄마거든요."

안 봐도 뻔했다. 다혈질인 성격과 어설픈 정의감 때문에 일어난 일이었다. 하지만 다그치거나 야단칠 생각은 없다. 나는 한숨을 쉰 다음에 아이한테 물었다.

14

"몇 살인데?"

"13살이요."

"이름은?"

"알아서 뭐하게요?"

싸가지 하고는... 짜증과 동시에 이번에는 제대로 찾았구
나.라는 안도의 마음이 들었다. 적어도 레몬한테 목아지
가 날라가지는 않겠구나 라는 생각이 들었다.

"언니 이름은 뭐에요?"

"알아서 뭐하게?"

아까전 그녀가 한 대답을 똑같이 돌려줬다. 하지만 그 아
이는 별로 신경쓰지 않는다는 식으로 나를 쳐다보았다.

"나이는요?"

그 아이가 자기의 손톱으로 자동차 시트를 누르면서 말했
다.

"18살"

"성인 아닌데 차 몰아도 돼요?"

15

"응 돼. 그리고 빌어먹을 손톱으로 차 시트 누르지 말고."

하마타면 안소영 언니한테 등짝 맞을뻔 했다. 그 뒤로 이 아이의 행동은 상당히 충동적이고 불안정했다.

신발을 좌석에 올리고 기껏 해준 안전벨트를 풀어 해치기 까지 했다.

"야. 가만히 좀 있어라. 너가 무슨 윤석열이냐?"

하지만 그 아이는 내 말을 귀등으로도 듣지 않았다.

차리리 병원으로 가는 것이 나을 것 같아서 속도를 올렸다.

잠시후 도착한 병원 주차장에 황급히 차를 대고 응급실로 향했다. 아이가 제 발로 갈수 있다고 했지만 그 말을 무시하고 그 아이를 안고 응급실로 향했다. 아이를 치료실에 맡기고 나서야 겨우 한숨 돌릴수 있었다.

치료는 생각보다 오래 걸리지 않았다. 상처가 깊지 않아 약을 먹으면 금방 낫는다고 의사가 말했다. 의사 말로는 자기 의사 인생 30년 동안 울지 않고 빨리 끝내달라고 말한 아이는 처음이라고 말했다. 그 칭찬 같지 않은 칭찬을 듣고서야 병원을 나올수가 있었다.

16

병원에 들리느냐 어느새 시간이 이렇게 저녁이 되었다. 경기도 분남까지 가려면 시간이 한참 걸린다. 나는 아이가 깨지 않도록스마트폰에 켜져 있는 음악을 껐다.

꽤 깊게 잠든 모양인지 아이는 나랑 안소영이 사는 아지트까지 와서도 깨지 못했다. 결국 아이가 깰때까지 차 안에서 기다렸다. 나는 주차장에 나와 메비우스 담배를 물었다. 해가 지고 있었다. 여름 특유의 타들어가는 노을이 차 안을 가득 체우고 있었다.

줄 담배를 피우면서 뒷 좌석에 앉아 있는 아이를 쳐다봤다. 13살이라고 했던가.. 저 아이의 13년 인생이 어떤 인생인지는 모르겠지만 행복한 일이 많았으면 좋겠다. 앞으로의 인생은 선택하지 않은 지옥일테니까.

네 번째 담배를 구두로 비벼서 껐다. 이제 슬슬 깨워야 할 것 같아서 아이를 깨우려는 순간 아이가 일어났다. 아이는 눈을 가늘게 뜬채 차창 너머로 나를 봐라보았다. 여우처럼 휘어진 그 눈을 보니 조금 이상했다.

아이는 그저 아무 말 없이 내 눈을 응시했다. 차창 너머에 보이는 그 눈빛이 애정인지 증오인지 아니면 기대인지 나는 잘 모르겠다.

잠에서 깬 아이를 차에서 내려주었다. 우리 집에 초인종을 누르려는 찰나, 그 아이가 끼어들었다.

　"제가 눌러도 돼요?"

17

안 될 이유도 없었다. 나는 고개를 끄덕거리고 자리를 비켰다. 아이는 제 몸을 움직여서 초인종을 눌렀다. 비명과 같은 초인종 소리와 함께 현관 문이 열렸다.

"이리 와."

내가 손짓했다. 그 말에 아이는 잠시 멈추더니 이내 현관 문으로 들어왔다.

내 뒤를 따르는 아이의 모습이 그 그림자가 노을을 받아 길게 늘어졌다.

안소영 6화

너의 이름이 뭐라고?

타케시 레몬이 묻는다. 나는 기억조차 나지 않는 이름을 내 입에서 꺼냈다.

너의 이름이 뭐냐고

타케시 레몬은 다시 물었다. 나는 다시 아까전과 같은 말을 반복했다.

그리고 수차례 뺨을 더 맞는다.

귀에서 소리가 나고 입 안에서 진한 피가 나올 무렵 타케시 레몬이 다시 묻는다.

그녀의 얼굴을 그저 쳐다본다.

저 가늘고 아름답게 생겼지만 추악한 면이 잔뜩 있는 그녀의 얼굴을 졸라서 비틀어버리고 싶다는 생각이 든다. 그 생각과 반대로 내 입에서는 원치 않는 말이 튀어나온다.

강바다. 강바다. 강바다.

레몬이 미소짓는 순간 잠에서 깨어났다. 숨을 몰아쉬면서 침대에서 일어났다.머리가 지끈거렸다. 몇 시간 정도 잤지... 시계를 보니 새벽 4시 정도이다. 2시간에서 3시간 정도 잔 것 같은데 망할.. 악몽을 꾼것 같다.. 금방이라도 깨질것 같은 머리를 움켜쥐고 주변을 살피다가 잠든 안소영을 발견했다. 나는 그녀가 깨지 않도록 조심조심 침대에서 일어나서 가운을 입었다.

바닥에 떨어진 옷 중에서 나의 옷을 골라 탁자 위에 올려놓고 욕실로 향했다. 거울을 봐라보니 얼굴 상태가 말이 아니다.. 제기랄... 입이 터지고 얼굴 곳곳에는 멍자국이 나있었다. 일단 대충 가글부터 했다. 씨발... 통증이 심했지만 꾹 참고 내 입 안에 남은 가글액을 뱉어냈다.

바닥에서 뒹굴고 있는 밝은 리바이스 501 청바지와 하얀색옥스포드 폴로 랄프로렌 셔츠를 입고 밖으로 나갔다. 나갈 준비가 전부 끝났다.

나는 마지막으로 안소영한테 다가가서 그녀한테 입을 맞췄다. 그동안 바빠서 같이 있지 못했다는 것에 대한 사과이다. 작별인사는 어제 책상 위에 있는 쪽지 로 남겼으니 그럼 됐다.

11월초라서 그런지 차가운 새벽 공기를 맡으면서 집 밖으로 나왔다.

19

차를 가지고 나오지 않아서 걸어가야 하나 생각한 순간 근처모델 밖에 서있는 그녀를 발견했다. 레몬의 부하인 정나미이다.

그녀와 꽤 안 좋게 끝났다는 소문이 있는데 레몬의 후계자로 떠오르고 있다는건 신기하다. 소문인건가.. 라는 생각도 든다.

"뭐야?"

정나미가 나와 눈이 마주치자 마자 바로 땅바닥에 담배를 비벼서 끈다. 아마 자기도 놀랐나보다. 나를 처음봐서 그런걸까? 나는 그녀를 몇번 본적도 이름도 알고 있지만 나한테는 낯선 존재니까 말이다.

"아 안녕하세요. 새로 온 강바다라고 해요."

"타."

정나미가 자동차 문을 열면서 말했다. 싸가지 없는 년이라는 말이 저절로 내 입에서 자동으로 나올 뻔 했지만 참았다.

"그러죠."

나는 퉁명스럽게 답했다.

"무슨 일인데?"

"레몬이 너 찾아. 그리고 너 반말 쓰지마. 머리에 피도 안 마른 주제."

지금 누가 누구한테 반말하냐고, 뭐 어쩌라고 같은 식으로 화를 내면서 인상 가득한 표정으로 따져 묻고 싶었지만 새벽부터 그런 식으로 애너지를 병신 같이 소비하고 싶지는 않았다. "재수없는 년" 이라는 생각이 들었다.

"죄송합니다."

나는 마음에도 없는 사과를 했다.

"무슨 일 때문에 오신거죠?"

나는 잔소리가 싫어서 아까전에 했던 공격적인 말투 대신 약간 진정된 말투로 정중하게 물었다.

"타케시 레몬이 너 찾아."

그녀는 퉁명스럽게 말했다.

그 이야기를 듣는 순간 머리가 지끈거렸다. 아마 저 년이 나를 찾아온것도 타케시 레몬 그년 때문이겠지.. 제기랄.. 제기랄... 가뜩이나 몇달동안 지방과 서울을 오가느냐 존나게 피곤한데.. 그년까지 보려니 정말 짜증이 난다.

"왜 찾는데요? 타케시 레몬이?"

"이유는 너가 잘 알거 아니야?"

21

대충 이유는 알겠다. 확실하게. 얼마 안 만났지만 타케시 레몬은 조금이라도 마음에 안 드는게 있으면 정말 사람 피말리게 하는 타입이니까.. 그래서 나한테 따지려고 찾아오는 거겠지..

차를 타고 가는 순간 초초함과 목이 바짝바짝 타는 느낌이 들었다. 평소 같았으면 정나미 이 년과 뭐라고 대화라도 했을텐데 아무 말도 못하겠다. 그저 긴장감에 사로잡혀 있을뿐이다.

한참을 달려 그녀의 사무실에 도착했다. 이 장소는 올때마다 무언가 사람을 얼어붙게 하는 느낌이 강하게 든다. 레몬은 뭐가 바쁜지 서류 뭉치 사이에서 일을 하고 있었다.

"왔니?"

레몬이 짙은 카키색에 가까운 초록색 폴로 블레이저에서 말보로 레드를 꺼내면서 말했다. 은시현은 나가서 문을 닫았고 그리고 나는 그녀를 향해서한 걸음 한 걸음 걸어갔다.

그리고 한 발 한 발 걸을때마다 타케시 레몬이라는 여자에 대해서 다시 한번 생각했다.

18살때 어머니를 죽이고 권력을 공고하게 한 여자

사랑하는 사람한테는 열성적이지만

그러지 않는 자한테는 냉혹하고 잔인한 여자

나 같이 방황하는 여자아이를 데려와 기르는 여자

22

그리고 마음에 안 들면 죽여버리는 여자

나를 이런 삶에 몰아넣은 여자

지금 나는 그 여자 앞에 서있다.

"왔니? 요즘 여기저기 다니느냐 고생 많았어."

레몬이 손가락을 깍지긴체로 말했다.

"잡담이나 하시려고 부른것 아니잖아요."

레몬의 말투는 친절했지만 은근한 긴장감이 돌았다. 나는
안다. 저 여자가 많은 사람을 죽였다는것도 자신이 사랑
하지 않는 사람들을 어떻게 대하는지도 다 안다. 2년간
저년을 봐왔으니까.

충분히 질리도록 봤다고 자부할수 있다.

"그래. 알지. 몇일간 많이 바쁘셨던데. 웬 여자랑 모텔까
지 가고."

아무런 대답도 없으니 그녀는 말을 계속 이어나갔다.

"내 기억이 맞다면 이런 일 한두번이 아니야. 근 2년간
자잘한 사고 친것도 외부인 여자랑 같이 모텔 간것도 다
봐줬어. 상대가 누구인지는 모르지만 이제 그만둬. 참는
데도 한계가 있어."

23

뭐지? 뭔가 이상했다. 왜 김지은에 대한 이야기를 안 하지? 가 단순히 외부인 여자와 놀아난줄 아나? 아니 절대 그럴리가없었다. 나는 그녀가 나와 김지은과의 관계를 미리 알고 있었음에도 불과하고 눈 감아주고 있다고 생각했다. 그 동안 몰래만나기는 했지만 그녀가 그걸 모를리는 없으니까. 2년동안 벼르고 벼르다가 오늘 드디어 증거를 잡아서 나를 족치려고 할줄 알았는데. 나는 한동안 어떻게 대답해야 할지 머리를 굴렸다. 이런 나와 다르게 레몬은 태연한 말투였다.

"뭐. 너가 일을 잘하니까. 가끔 일탈하는건 뭐라고 안 할게. 그래도 내 뒤를 이을 애인데 이런 일 하면 애들 보기에 민망하지 않겠니?"

뒤을 이을 아이, 이상하게 타케시 레몬은 안소영보다 나를 더신뢰했다. 이유는 나도 잘 모르겠다. 확실한건 조금만 더 참으면 내가 이 조직을 물려받고 그녀는 다른 곳으로 떠난다는것은 확실했다.

그녀가 자리에서 일어나서 내 앞에 섰다.

왠지 모를 오묘하고 불쾌한 기분이 내 몸에서 느껴졌다.

"강바다. 앞으로 다른 사람도 아닌 너가 이런 소식 내 귀에 들어오지 않도록 행동하는게 좋을거야."

그녀는 웃으면서 말했지만 나는 안다.

이게 최후통첩 경고라는 것을

24

"알겠습니다."

"그럼 이만 가봐. 피곤해 보이는데 조금 쉬고 일 나가고."

"네."

인사를 드리고 사무실 밖에 나왔다. 밖에는 안소영이 나를 기다리고 있었다. 나는 그녀의 잘못이 아닌걸 알면서도 화를 냈다.

"비켜."

"레몬이 뭐래?"

"비키라고."

"강바다."

안소영이 나의 팔을 잡았다. 나는 그의 팔을 뿌리치고 쏘아붙쳤다.

"닥치고 나가서 이야기해."

우리는 차를 끌고 인적이 드문 장소로 갔다. 사람 발길이 끊어진 오래된 굴다리 밑은 평소 안소영과 같이 오는 곳이다. 안소영은 습관처럼 메비우스 담배를 꺼내 물어 불을 붙쳤다.

"김지은 이야기를 안 꺼냈어."

내 말에 안소영은 한숨을 쉬었다. 조직 내에서 나와 김지은과의 관계를 아는건 안소영이 유일하다. 지은과 처음 자고 술김에 말해버린게 내 잘못이었다. 하지만 소영의 입이 워낙 무거워서 지금까지 별 문제가 되지 않았다.

"모를리가 없는데."

"뭐. 너랑 김 형사랑 숨어서 만나는데 모를수도 있지."

"아니. 그럴리가 없어. 마음만 먹으면 내가 뭐하는지 다 알수 있는데."

내 말에 안소영이 피식 웃었다.

"뭐가 웃겨?"

"그걸 아는 년이 김형사 못 만나서 안달이니? 차라리 일반인을 만나지 왜 형사를 만나?"

반박할 말이 없었다. 그냥 일반인을 만나도 문제인데 2년간 형사를 만나다니 더 큰 문제이다. 나는 답답한 마음에 관자놀이을 주물렀다.

"어쨌든 당분간 김형사 만나지 마."

만나지 말라고 해서 안 만날 내가 아니지만 고개를 끄덕였다.

"태워줄테니 집 가서 옷 갈아입고 일 보고."

"알겠어."

정신을 차리고 차에 타려는 순간 전화기에서 시끄러운 벨이 울렸다. 모르는 번호였지만 느낌이 이상해서 바로 받았다.

"여보세요."

"안소영. 나야. 정나미."

처음 들었지만 익숙하게 들리는 목소리. 재수없는 말투 정나미이다.

"여기 폐공장 지대인데 너 와봐야 할것 같은데."

"무슨 일인데요?"

"몇몇 놈들이 조직 자금 빼돌려서 일이 커졌어. 지금 잡아놓기는 했는데 영 말을 안 들어서 말이야."

골이 울렸다. 오늘 왜 이리 재수가 없는건지.. 나는 다시 차에 올라타면서 말했다.

"문자로 주소 보내주세요."

"알았어."

27

전화가 끊어졌고 바로 주소가 날라왔다. 안소영한테 주소를 보여주자마자 그녀는 어디인줄 안다는듯이 고개를 끄덕거리고 빠른 속도로 차를 몰았다. 나와 안소영은 다 쓰러져가는 공장 앞에서 서 있는 조직원들을 지나쳐 앞으로 도착했다. 뼈대만 남은 공장에서는 비명소리가 들렸다. 여기에 서슬퍼런 새벽빛까지 더해지니 이것보다 기괴할 수는 없었다.

"오셨습니까!"

내 등장에 안에 있던 조직원 3명이 고개 숙여 인사했다. 나는 누군가가 가져다준 플라스틱 의자에 앉아서 무릎을 꿇고 있는 3명의 조직원을 내려다봤다. 가끔 마주쳐서 얼굴만 아는 사람들이었다. 이름이라도 알았으면 죄책감이 있을텐데 그러지는 않았다.

"소영아."

"네."

단정한 정장을 차려입은 안소영이 나한테 다가왔다.

곧 이어 안소영은 단정한 검은색 생로랑 블레이저 안 주머니에서 베레타 M9 권총을 꺼냈다.

차갑다못해 냉기가 흐르는 순도 100%의 검은색 권총이 아무런 감정 없이 그저 불꽃을 내뿜으면서 총알 3발이 무릎을 꿇고 있는 조직원들 사이로 발사 된다.

"알아서 치워."

그녀는 덤덤한 목소리로 말했다. 안소영과 가까이 있어서 그런지 내 얼굴에 피가 튀겼다. 안소영은 검은색 생로랑 정장바지 주머니에서 하얀색 수건을 꺼냈고 나는 그 수건으로 얼굴을 닦았다.

모든 일이 다 끝나고 자동차 조수석에 탄 다음에도 나는 아무 말도 하지 않았다. 아까 그 조직원이 정통으로 총알에 머리를 맞고 뇌 조각이 튀어나간 모습을 봤기 때문이다. 죽기 직전에 조직원이 보였던 처량한 표정과 시체를 치울때 차마 감기지 않은 눈 때문에 더더욱 그렇다.

이대로는 살수 없다는 그 느낌

그 느낌이였기 때문이였을지도 모른다.

그 거지 같고 짜증난다는 말로는 부족한 매퀘하고 불쾌한 감정이 느껴졌다. 뭐라도 쥐어 뜯지 않으면 차마 버틸수가 없을것 같아서 나는 자동차 시트를 쥐어 뜯었다. 불안할때하는 일종의 습관이었다.

까르륵.. 까르륵.. 소리와 함께 손톱이 아리더니 서서히 부러지면서 빨강색 피가 내 손에 흘렀다. 마치 유리조각으로 목을 그으려고 했었던 2년전 그때처럼 말이다. 부러진 손톱을 뜯어내면서 통제 없이 바보처럼 그 행동을 반복할 뿐이다.

그러자 손톱이 부러진 자리에 상처가 나기 시작했다. 안소영은 아무 말도 없었다. 오늘 할 이야기도 이 행동을 그만하라는 말도 없이 자동차 안에는 정적만이 흘렀다.

"강바다."

"강바다."

나는 팔로 눈을 가린채 말했다.

"왜?"

"아까 일은 너무 신경쓰지마. 이게 우리 일이야."

사람을 죽이고 레몬의 더러운 뒷처리를 하는 일이라는건 알고 있다. 그래서 괜한 죄책감을 가지고 약해 빠진 겁쟁이 같은 생각을 가지면 안 된다는 것도 알고 있다. 아마 안소영의이 말은 우리의 처지가 그렇다는 것을 말해주는 거겠지. 아무리 노력해도 벗어날수 없는 거지같은 현실, 카스트 제도의 맨 아래에 있는 불가촉천민처럼 말이다.

나는 그저 고개를 끄덕이고 다시 좌석을 뜯었다.

그새 맺힌 피딱지가 다시 피로 변해서 손에서 흐르는데도 멈출수가 없었다. 쓰라리고 아프고 고통스러웠지만 차마 멈출수가 없었다. 멈추지 않고 손가락을 계속 놀렸다. 이거라도 하지 않으면 답답하고 마음이 터질것 같기 때문이였다.

손가락에 감각이 없어질때쯤 집에 도착했다.

회색 볼보 XC60에서 내리자 마자 내가 제일 먼저 한 일은 세면대에 물을 받고 그 안에 손을 담구는 일이였다.

따뜻한 물에 손이 들어가자 마자 손가락에 엉겨있던 피가 빠른 속도로 떨어져 나갔다. 나는 그 쓰라린 통증을 느끼면서 거울을 응시했다.

거울을 응시한 다음에 손을 자세히 보니 온통 피로 범벅이였다. 세면대에서 물이 새어나오기 시작하는데 아무런 미동없이한참을 그저 멍안히 서 있기만 했다. 몸이 떨렸다. 나라고 이런삶을 원한 것이 아니었다. 내가 선택한거지만 다른 선택지는 없었다. 이 곳 아니면 유약한 나를 받아주고 그나마 인간 취급해주는 선택지도 대안도 없으니까 말이다.

가슴 깊숙한 곳으로부터 분노와 알수 없는 회의감이 차올랐다.

나는 입고 있던 옷을 다 벗고 샤워 부스 안으로 들어갔다.

샤워기를 틀자마자 핏물이 아래로 떨어졌다. 그 핏물이 떨어지자마자 먼저 내 머릿속에 떠오른건 김지은이였다. 그는 지금 뭘 하고 있을까.. 아마 나 같은 놈들 잡는다고 난리겠지. 그 생각을하니까 조금 답답한 감정이 풀렸다. 하지만 아직 가슴에 응어리가 남은 듯이 답답한 감정은 나를 누르고 있다.

뜨거운 물을 맞으면서 눈을 감았다 뜨기를 반복했다.

몸에 묻었던 피가 점점 씻겨나간다.

그러는 와중에도

입술과 손에서는 통증이 느껴지고

그 너머 희미하게 김지은의 감정이 느껴진다.

나는 그 온기를 놓지 않기 위해서 손에 힘을 주었다.

31

하지만 늘 그랬듯 그 온기는 흐르는 물과 같이 사라지고 말았다.

안소영 7화

처음 쏠 때는 양손으로. 그래. 그렇게.

타케시 레몬이 내 손에 발터 PPK 권총을 쥐어준다.

그의 차가운 숨결이 내 몸에서 느껴진다.

조준하고, 숨 멈추고.

복면으로 얼굴을 가린 사람의 머리에 총을 조준하고 쏜다.

나는 망설임 없이 방아쇠를 당겼고 총성과 함께 피가 튀겼다. 처음으로 맞아본 사람의 피는 불로 끓린 듯 뜨겁다.

타케시 레몬의 손이 내 머리에 와닿는다. 그의 칭찬을 받으면서 안소영이 시체를 치우는 모습을 봐라본다.

그녀의 눈동자에 담긴 연민의식을 봐라본다. 내 기억 속에서는 그 눈빛은 차갑지도 따뜻하지도 않다.

그 연민섞인 눈동자를 봐라본 다음에 나는 발터 PPK 권총을 쥔 손에 힘을 쥔다. 그러던 중 우연히 복면이 벗겨진 시체와 눈이 마주친다.

총알이 박혀 뻥 뚫린 머리를 보니 구역질이 난다.

이 상태를 진정시켜보려고 노력을 하지만

오히려 상태가 더욱더 심해져간다.

옆에 있던 안소영이 놀라서 달려왔다.

그녀는 황급히 냉장고에서 차가운 물을 꺼내 가져다 주었다. 물 한 병을 다 비웠더니 겨우 숨을 쉴수 있게 되었다.

"괜찮아?"

안소영이 걱정 되는 목소리로 물었다.

나는 그저 침대 가장자리에 앉아 입가를 닦았다. 그리고 고개를 들었는데 안소영이 보였다. 커튼 너머의 새벽빛도 안소영의 걱정하는 눈빛도 전부 처음이였다. 악몽을 꾼 것도 안소영의 이런 반응도 전부 전에는 없었던 일이였다.

그래서 그럴까? 내 안에서 감정이 마구 요동쳤다.

"강바다."

나는 한동안 안소영의 얼굴을 봐라봤다. 어차피 말해봤자 부질없는 이야기, 이루어질수 없는 이야기라고 생각하고 고개를 돌려버렸다.

"괜찮냐고 물어보잖아."

마치 사고를 친 어린아이를 혼내는 듯한 말투로 말하자 손에 쥐고 있던 페트병에 힘이 갔다. 제기랄.. 괜히 그녀 한테 짜증을 냈다. 어차피 안소영한테 화내봤자 해결될 일 도 아닌데 말이다.

나는 퉁명스러운 말투로 말했다. 그러고는 침대 밑 바닥 에 있는 색이 옅은 홀리스터 후드티에 밝은 리바이스 502 청바지를 입고 밖으로 나갔다.

"강바다."

밖으로 나가려는데 안소영이 불렀다.

"뭐."

마음과 다르게 퉁명스러운 말투가 나왔다. 나는 괜히 찔 리는 마음에 한숨을 쉬었다.

"나 어디 나갔다 올게."

"알겠어."

"조심히 갔다와. 그리고."

안소영이 말을 하려다가 내 손을 흘끔 보고 잠시 망설렸 다가 다시 말했다.

"몸 좀 사려."

나는 그 말에 대답하지 않고 집 밖으로 나갔다. 솔직하게 말하면 안소영한테 너무나도 미안했다. 내 기분 하나 통제하지못하고 자기 멋대로 굴었으니까. 내가 대체 왜 그러는거지...라는 생각이 들었다. 오늘 꾼 꿈도 그렇고 내 머리가 복잡하다. 터질것 같다는 말이 정확하겠지.. 그런 생각들은 집어치우고 일단 밖으로 나가야 겠다는 생각이 들었다.

그래 어디라도 나가면 마음이 정리가 되겠지.

나가자 마자 전화가 왔다. 타케시 레몬이다. 순간 긴장이 되었다. 무슨 일로 전화를 건걸까? 내 감정의 동요를 알고 전화한걸까? 같은 불안감으로 나는 전화를 받았다.

"여보세요."

"어 강바다."

의외로 목소리가 맑고 활기차다. 다행이라는 생각이 들었다.

"다름이 아니라 강바다.. 일단 이 주소로 올수 있어?"

그녀의 목소리가 흐려진체로 전화가 끊어졌다. 곧 이어 그녀의 휴대폰으로 주소가 도착했다. 회색 볼보 X60에 시동을걸고 주소로 도착해보니 현대백화점 압구정본점이였다. 나는 지하주차장에 차를 주차하고 전화를 걸었다.

35

"지금 도착했습니다."

"VIP실로 와. 거기서 기다리고 있을테니까."

나는 추운 날씨라서 그런지 내 두 손을 밝은 리바이스 502 청바지 주머니에 넣은 체로 엘리베이터를 기다렸다. 제기랄.. 괜히 가볍게 얇게 입고 왔다. 11월 추운 날씨에 롱패딩도 없이 이런 차림이라니.. 감기가 안 걸린게 기적적이다.

이윽고 엘리베이터가 도착하자 나는 VIP실이라고 적힌 지하층을 눌렀다. 망할.. 손이 얼어버린것 같은 으슬으슬한 느낌이 들어서 나는 손을 떨면서 지하층을 눌렀다. 그나마 다행인건 엘리베이터 안은 조금 따뜻하는 것이다. 엘리베이터가 지하층 VIP룸에 도착하자 마자 타케시 레몬의 목소리가 들렸다.

"강바다. 이리 와."

갈색 폴로 진스 코듀로이 블래이저에 목까지 오는 네이비 케시미어 폴로 퍼플라벨 니트에 밝은 리바이스 260 오랜지탭 청바지에 하얀색에 검은색 체크무늬 바탕에 반스 신발을 신은체로 레몬에이드를 마시면서 다리를 꼰체로 앉아있는 타케시 레몬이 나를 불렀다.

"네. 알겠습니다."

36

나는 그녀의 지시에 따라 그녀의 옆 자리에 앉았다. 은은한 샤넬의 넘버 5 향수의 냄새가 그녀의 몸에서 난다. 평소와다른 이미지에 조금 긴장되지만 그래도 화가 나 있는 것보다는 나쁘지는 않다. 노란색 눈동자의 그녀는 곧 이어 갈색 폴로 진스 코튜로이 블래이저 안 주머니에서 말보로 레드를 꺼내 밝은 파란색 듀퐁 라이터로 불을 붙쳤다. 곧 이어 그녀의입 안에서 담배 연기가 나왔다.

"미안 갑자기 불렀지? 원래는 우리 그이랑 같이 있으려고 했는데.."

그녀가 담배불을 유리 잿덜이에 비벼 끄면서 말했다.

"...."

나는 그저 아무 말도 하지 않았다.

그녀가 내 등을 치면서 웃으면서 말했다. 타케시 레몬은 알다가도 모를 인간이다. 평소에는 나한테 화를 내고 소리를치고 분위기를 긴장하게 만들더니 이제는 웃으면서 나한테 장난을 치다니.. 정말 어떤 인간인지 잘 모르겠다는 생각이든다. 원래 인간이라는 동물은 때와 장소에 따라서 변화한다는 말은 들었지만 타케시 레몬 같은 경우에는 예측할수가 없는 인물이니까.. 언제 다시 돌변할지 모르니까.. 그게 무섭다라고 말하고 싶지만 그 말은 집어넣고 나는 형식적으로 말했다.

"아닙니다."

나는 단답형으로 말했다.

"그럼 말 편하게 하자. 자 악수."

그녀가 나한테 악수를 청하자듯이 손을 내밀었다. 나는 그 손을 잡고 악수를 청했다.

"이제야 표정이 좀 밝아졌네."

레몬이 웃으면서 말했다.

"사실 그 이랑 같이 오려고 했는데 오늘 조금 다퉜거든."

레몬은 약간 부끄러운듯 말을 흘리면서 말했다. 의외다.

평소의 타케시 레몬은 전혀 이러지 않는 타입인데 도대체 어떤 인간이길래 이렇게까지 그녀를 안달 나게 만들수 있는걸까.. 정말 그 사람은 어떤 사람인지 조금은 궁금해졌다.

"어쩌다가?"

나는 반말로 대답을 했다.

"사실.. 그 아이의 샴푸를 썼거든. 꽤 아끼는 샴푸였는데."

레몬은 약간 웃으면서 말했다. 그것 또한 내가 지금까지 레몬을 봐오면서 처음 봤던 웃음이였다. 나는 레몬을 이렇게 안달나게 만든 그 인간의 정체가 궁금했지만 예의상 묻는게 아닌것 같아서 그 질문은 삼켰다.

"그래서 집에 갈때 선물 하나 사가려고 해. 근데.. 내가 선물 보는 눈이 없어서 너한테 부탁하려고 한거야. 혼자 서는 좀 그렇고.."

타케시 레몬은 해맑게 웃으면서 말했다.

"그래서 무슨 선물로 고르려고?"

타케시 레몬은 말 대신 빨강색 쇼파 밑에 있는 롤렉스 쇼핑백을 꺼냈다.

고급스러운 초록색 롤렉스 상자에서 하늘색에 가까운 파란색 다이얼에 금색 오이스터 베젤로 이루어져 있었는데 특이한건브레슬렛이 금이나 은이 아닌 가죽 벨트로 되어 있고 시계 다이얼에는 스카이-드웰러 라고 적혀져 있었다. 아마 타케시 레몬의 애인은 탐험을 좋아하는 사람인 것 같다.

보통 롤렉스 시계에서유명한 서브마리너나 데이져스트나 요트 마스터 대신 항공쪽에서 자주 쓰는 롤렉스 스카이-드웰러를 선물로 택했으니까 말이다. 아마 그 사람은 탐험을 좋아하면서도 비행 쪽에 관심이 많다는 생각이 들었다. 그러지 않았다면 그녀가 그런 선물을 준비하지 않았을 것이기 때문이다.

"너 애인이 탐험이나 파일럿 쪽인가봐?"

나는 그 롤렉스 시계를 보면서 말했다.

"뭐 그런 쪽이기는 하지. 나도 그런거 좋아하고."

그녀는 웃으면서 말했다.

"꽤 멋진 사람이네. 너 애인."

나는 엄지손가락을 올리면서 말했다. 그러자 타케시 레몬은 밝은 미소를 지었다.

"멋지기는 멋지지. 귀여운 면도 있고. 사소한 면에서 조금까다롭기는 한데 그래도 좋은 사람이야. 어디 가서 당당하게 내 애인이라고 말할 수 있는 사람이니까. 그게 나를 설레게 만들어. 같은 공기를 마시고 같은 방에 있는 것 자체가 행복하니까 말이야."

그녀가 웃으면서 이야기 할때쯤 짧은 보라색 머리에 하늘색VAN 블레이저에 짙은 파란색 브룩스브라더스 드레스셔츠에 다크 워싱이 잘 되어져 있는 리바이스 501 청바지에 하얀색 컨버스 하이 운동화를 신고 걸어들어왔다.

"다혜야. 왔어?"

레몬이 웃으면서 말했다. 그런 다음에 그녀는 손에 들고 있는 롤렉스 쇼핑백을 그녀한테 내밀었다. 레몬의 얼굴에는 약간의 긴장감과 미소가 공존하고 있었다. 마치 처음으로사랑을 해본 사람처럼.

"아까전에는 미안했어. 너무 신경질적이라서. 근데 너무 비싼거 산거 아니야? 레몬? 나 그렇게 화 많이 안 났는데?"

양다혜는 미안한 얼굴로 사과를 하면서 롤렉스 쇼핑백을 받았다.

40

"그냥. 너 생각 나서."

레몬은 웃으면서 말했다.

"아 소개가 늦었네. 강바다. 애는 내 애인 양다혜야."

레몬은 강바다의 바다같이 파란색 눈을 쳐다보면서 말했다.

"뭐 그렇게 소개까지 하고 그래?"

양다혜가 웃으면서 말했다.

"내가 널 세상에서 가장 사랑하니까?"

레몬이 웃으면서 말했다.

"꽤 낭만적이네. 타케시 레몬."

그녀가 레몬의 볼에 키스 하면서 말했다.

"집에 가서 같이 넷플릭스나 볼래?"

레몬이 웃으면서 말했다.

"그럴까? 뭐 볼지는 집에 가서 정하자."

양다혜가 레몬의 말에 화답했다.

41

"아. 강바다. 이리 와봐."

타케시 레몬이 나가기 전에 강바다를 불렀다. 그녀는 갈색 코듀로이 폴로 진 블레이저 안 주머니에서 하얀색 돈 봉투를 꺼내서 나한테 줬다.

그녀가 웃으면서 말했다.

"너무 많은거 아니야?"

나는 고개를 절래 절래 저으면서 말했다.

"아냐. 그냥 받아. 어차피 얼마 안 되는 돈이야. 너 여기 올때 쓴 기름값이라도 해. 추운데 고생도 했고."

그녀가 미안한듯한 목소리로 말했다.

"그럼 받을게. 고마워. 타케시 레몬."

나는 두 손으로 그 하얀색 돈 봉투를 받았다.

"그럼 난 간다."

타케시 레몬은 양다혜와 같이 손을 잡고 밖으로 나갔다.

마치 새로운 시작을 알리듯이 말이다.

42

안소영 8화

어두운 밤 사람들로 가득찬 비닐하우스 안에서 일확천금을 노리는바보들이 도박 딜러가 불러주는 숫자에 엄청난 양의 5만원 다발과수표 뭉치를 바닥에 놓고 자신의 운을 시험하는 모습을 밝고 짧은노란색 머리에 약간의 포마드를 바르고 어두운 카키색 폴로 퍼플라벨 블레이저에 카라 부분이 하얀색으로 되어있는 하늘색 폴로 랄프로렌 드레스 셔츠에 짙은 파란색이지만 하얀색 점들이 박혀 있는폴로 넥타이에 밝은 리바이스 501 청바지에 검은색 바탕에 밝은노란색 선이 들어간 반스 올드스쿨을 신고 블레이저 안 주머니에서말보로 레드를 꺼내 노란색 바탕에 어두운 보라색이 들어간 듀퐁 라이터로 불을 붙쳤다.

"저게 인간의 본성이야. 강바다. 자기를 갉아먹을걸 알면서도 나는아닐거라고 생각하면서 스스로 불지옥에 떨어져서 생을 마감하는게 인간의 본성이라고. 덕분에 나는 하루에 못해도 몇백억 아니 몇천억도 번다고. 고마운 병신들이지."

'타케시 레몬은 웃으면서 말했다.

"하지만 이 하우스 도박장에서 버는 돈은 전쟁이 일어나면 버는 돈에 비하면 애들 코 묻은 돈이야. 액수가 상상 이상이거든. 몇백억 몇천억이 아니라 기본이 조 단위로 움직이니까. 물론 나는 털끝 하나 안 다치고 어디 조용하고 안락한 집에서 티비로 전쟁에 찬성한병신들이 죽어가는걸 봐라볼뿐이지. 고사포에 맞아서 사지가 공중분해가 되는 것도 총에 맞아서 온 몸에 경련이 일어나면서 고통스럽게 죽는 것도 기적적으로 살아남아도 그런 장면을 보고 평생 악몽에서 사는 것도 모르면서 젊은 애들은 전쟁에 찬성해. 정작 전쟁에 대해서 쥐뿔도 모르면서."

타케시 레몬은 비웃는 말투로 말했다.

"더 웃기는게 뭔 줄 알아? 강바다? 그런 것들을 애국심이라고 같잖은 방식으로 포장하는 인간들이야.내가 살고 있는일본이라는 나라가 그랬고. 얼마 되지도 않았어. 끽 해봤자70-80년 전 이야기니까. 공존과 평화를 배워야 하는 학교에서 군인들한테 위문 편지 보내면서 전쟁에서 미군과 영국군을 많이 죽이라는 소름끼치는 편지를 쓰고 사람들을 죽이는 전쟁 무기를 만든다면서 집에 있는 금속이란 금속은 다차출하는건 기본이고 군인들한테 먹일 식량을 위해서 전 국민이 희생하고 젊은 애들을 다 강제 입대 시켜서 죽든 말든 별 시덥지도 않은 방식으로 죽여버리고 살아 남는다고 해도평생 병신보다 못한 삶을 살게 만든다고. 그걸 반대하면 비국민이라고 낙인을 찍어."

타케시 레몬은 담배 연기를 내뿜으면서 말했다.

"일반 대중들도 웃기는 작자들이지. 처음에는 대일본제국의 영광을 외치면서 아시아 전역에서 몇 천만명이 넘는 사람들을 죽여도 난징에서 하룻밤 사이에 30만명을 학살해도무자비한 충칭 대공습으로 도시를 불바다로 만들어서 사람들이 절규하고 고통스럽게 타죽어가도 만주에 있는 731부대에서 입에도 담기 힘든 끔찍하고 비인권적인 실험을 자행해도 아무 말도 하지 않아. 알고 있어도 우리 위대한 대일본제국을 위한 사소한 희생이라고 여기지."

타케시 레몬은 말보로 레드에 다시 불을 붙치면서 말했다.

44

"막상 자기들이 무모하게 전쟁을 저지르고 하와이의 진주만기지를 무차별적으로 공습해서 민간인 사상자 103명 전사자 2234명 부상자 1143명을 만들어 논 대가로 미국과 연합군이 참전해서 도쿄를 소이탄 폭탄으로 대공습을 해서 수많은 민간인들이 죽어나간것과 트루먼이 일본 히로시마와나가사키에 원자폭탄을 투하해서 그 자리에서 15만명과 7만명이 죽었다는 것만 기억하고 정작 일본군이 난징에서 30만명의 무고한 민간인들을 게임하듯이 죽였다는 사실과 중일전쟁때 일본 육군 항공대가 충칭을 무차별하게 공습하고민간인들이 폭격을 피해서 피난간 영국 대사관저까지 폭탄으로 직격해서 수십 명씩이나 학살한 사실은 빼놓고 말이야."

타케시 레몬은 씁쓸한 미소를 지으면서 말했다.

"자기들은 피해자인척 전쟁을 찬성하지 않은 척 하면서 이모든 전쟁은 군국주의자들과 일부 파렴치한 나 같은 인간들이 선동해서 만들어진 비극이다라는 식으로 얼버부리면서자신들도 가해자한테 동조하고 협력하고 응원했다는 사실조차도 부정하고 받아드리지 않으려고 하는 거지. 정작 지들도전쟁에 찬성하고 열정적으로 도와줬으면서 말이야.난 이런사람들을 볼때마다 어이가 없을 뿐이야. 정작 전쟁을 최종적으로 승인하고 모든 것을 잿더미로 만드는 것을 승인한 히로히토한테는 책임을 묻기는 커녕 병신들처럼 환영해주니까 다시 이런 일들이 반복 되는 거야. 자신이 가해자라는걸 인정하지 않고 피해자인척 구니까."

타케시 레몬은 억울한듯 왼손에 들고 있는 말보로 레드를 구기면서 말했다.

"우리는 그런 세상에서 살고 있어. 강바다. 어차피 사람들은 공정한걸 원하지 않아. 나 빼고 모두가 똑같은 출발선에서 뛰기를바라는게 인간이야. 나도 그렇고 강바다 너조차도 부정하고 있겠지만 마음 속에서는 그럴거야. 내가 장담하는데 이 세상 사람모두가 공정한 출발선에서 성공할수 있다면 이 지구라는 행성은 진작에 멸망했을거야. 그 이유가 궁금해 강바다? 누군가는어떤 수를 써서라도 그 공정한 출발선에서 허점을 찾아서 이용할거고 다른 사람들도 그렇게 하려고 하기 때문이야. 그 과정에서 끝없는 소모전 끝에 모두가 죽는 길밖에는 없는거고. 그게 현실이야."

타케시 레몬은 흔들리는 강바다의 파란색 눈동자를 정면으로 쳐다보면서 말했다.

"내 말 알겠어? 그러니까 받아들여. 우리들은 그런 인생을 살수밖에 없어. 나도 강바다 너도 해야 할 일은 딱 한가지야. 저 바보들이 자신들만의 망상중에서 빠져나오지 못하게 하면 된다고. 우리는 돈을 챙기고 저 병신들은 평생 우리가 만든 환상통속에서 목줄을 차고 우리가 원하는데로 움직이게 만들면 모두가 행복한 길이 되는거야. 저들은 진실에 관심조차 없고 알고싶어하지도 않거든."

강바다는 그 말에 고개를 끄덕였다.

"넌 똑똑하니까 이 정도는 이해할거라고 믿어. 이제 시덥잖은잔소리는 여기까지만 할게. 이 정도면 충분하니까."

타케시 레몬은 호탕하게 웃으면서 강바다의 어깨를 두들겼다.

그런 다음에 레몬은 입에 물고 있던 말보로 레드의 불을 끄고 사람들이 도박을 하고 있는 비닐하우스 안으로 들어 갔다. 80년도 시골에서나 볼 법한 오래된 전구에서 희미 한 노란색 불빛 아래에서 사람들은 광기에 사로잡혀 도박 에 몰입하느냐우리들한테 관심은 전혀 없었다. 그런 광경 을 지나쳐 레몬은 자물쇠로 잠겨져 있는 방에 문을 열었 다. 문을 열자마자 검은색 쇼파에서 담배를 피고 있던 남 자 조직원이 레몬을 보고 급하게 담배를 끄고 90도 각도 로 인사를 했다. 그녀는 그 인사에 화답하지 않고 검은색 쇼파 옆에 있는 회색 비밀번호 버튼식의 금고를 열었다.

금고 안에는 1억 수표 다발과 5만원권 현금 다발이 정돈 되어져 있었는데 타케시 레몬은 그 돈 다발 뭉치를 아무 렇게나 집어서 강바다한테 건내줬다.

"자 여기 잔소리 값. 그러니까 너무 죽상인 얼굴로 있지 말라고."

타케시 레몬은 웃으면서 말했다.

"고마워.."

강바다는 아끼전에 기세에 눌렀는지 기는 목소리로 말했 다.

"뭐야? 또 기어들어가는 목소리네? 다 너 잘 되라고 하 는 소리야."

타케시 레몬이 웃으면서 말했다.

47

"알았어. 명심할게."

강바다는 덤덤한 목소리로 말했다.

"그렇게 나와야 내 후계자지."

타케시 레몬이 말보로 레드에 불을 붙치면서 말했다.

이윽고 어두워진 하늘에 점점 태양이 뜨고 차가운 새벽공기가 몸 안에 들어올때쯤 무렵 타케시 레몬은 기지개를 펴고 밖으로 나와 미드나잇 퍼플 닛산 GT-R TSpace에 시동을 걸고 비닐하우스 도박장을 떠났다.

안소영 9화

내 삶은 불우했지만 언젠가는 이 삶을 바꿀수 있다는 생각을 했다. 그래서 꽤 열심히 공부했고 열심히 돈을 벌었다. 고등학교가 끝나고 바로 일을 하러 가는건 쉽지 않았다. 물류 센터에서 일하는건 꽤나 고달프고 힘들었다.

거의 밤을 지새우면서 일을 해서 돈을 벌었고 얼마 자지 못한체 학교에 가는건 일상이라서 이제 아무렇지도 않다.

그 날도 다른 날과 똑같이 새벽에 집에 돌아가고 있었다.

집에 있을 엄마와 여동생이 먹을 고기만두와 김치만두를 사서 가벼운 발걸음으로 집으로 향했다.

하지만 무언가 달랐다.

외부인을 차단하기 위해서 닫아둔 문은 활짝 열려있었고, 사람의 온기가 느껴져야할 집에서는 냉기만이 나를 반길 뿐이었다.소식도 모르는 우리 아빠가 사채를 가져다 썼다는건 이미 알고 있다. 하지만 연락이 안 되니까 괜찮을거라고 생각한 내가 바보였다.

손에 들린 검은색 봉투가 땅으로 추락하고, 숨을 쉴수조차도 없는 고통 사이에서 그저 아무것도 하지 않은체 참혹한 광경을 멍안히 봐라봤다. 하지만 진하게 선명하게 나는 피냄새는 이 비극이 현실이라는것만 보여주고 있었다. 씨발... 이렇게 되지 않으려고 발악 발악 거리면서 살아왔는데.. 헛웃음과 욕설이 나왔다.

그 결과가 뭐라고 나는 이렇게 발악 발악 거리면서 살았을까..덜 덜 떨리는 몸을 겨우 진정시키고 집 안으로 들어왔다. 흔히말하는 달동네에서 사람 하나 죽어도 아무도 모른다는 말이 거짓말은 아니였다. 서로를 의지하면서 살았고 다른 대안은 생각해본적은 없다. 현실을 부정하면서 차가워진 엄마와 동생을 허망하게 봐라봤다. 17살인 김지은이 할수 있는건 그저 우는것 밖에 없었다.

울음을 그치고 밖으로 나왔다. 바람이 차가웠다. 어두운 밤 하늘 아래에 불들이 꺼져있는 집들 저 멀리에는 신축 아파트가 보였고 마치 그 불빛은 흡사 밤 하늘에 별빛처럼 형형색색의 빛으로 빛나고 있었다. 그렇게 정처없이 걷다가 뒤를 돌아봤는데 내마음속에서 알수 없는 두려움이 나를 지배했다. 다시 바보처럼주저앉아 울수밖에 없었다. 이 곳은 어디일까? 나는 왜 이런 인생을 살아야 해?같은 생각에 눈물만이 뚝뚝 떨어졌다. 그렇게더 걷다 보니 다시 처음에 봤던 붉은 웅덩이가 있는 곳으로 다시 돌아왔다.

49

붉은 웅덩이에서 나는 찰박거리는 소리를 무시하고 앞으로 걸어갔다. 차게 식은 가족을 힘들게 등에 메고 밖으로 나와 뒷산을 올랐다. 밝은 불빛과 멀어지고 있다는 것이 느껴진다. 아무리 노력해도 아무리 뛰어도 난 그 근처에도 갈수 없는 불빛 말이다. 닿을 수 없는 불빛인건 알지만 그 멀어지는 불빛 사이에서 있는 뒷산에서 내가 해야만 하는 일이 있다. 땅을 팠다. 그곳에 나의 과거를 묻었다. 집으로 돌아가 온 몸에 묻은 과거의 미련을 얼음보다 차가운 물로 씻어보냈다.

이 곳은 얼마 지나지 않아 가난한 사람들이 쫓겨나고 멋있는아파트가 들어설 예정인곳이다. 돈 겨우 종이쪼가리가 뭐길래 사람을 비참하게 만드는걸까... 도대체 없는 사람은 왜 최소한의 품위도 못 누리는걸까... 남들 하는 것처럼 평범하게 살고싶은데 그리고 싶은데 나는 왜 안 되는걸까.. 지금 당장 졸업하면 평범한 직장에 평범하게 가족들과 같이 살고 싶은데 왜그런 소박한 일상조차 신은 나한테 허락하지 않는걸까?

겨우 하루만에 나의 세상은 뒤집혔다.

위는 아래가 되고

아래는 위가 되는 그런 세상 말이다.

나는 과연 이걸 감당할수 있을까? 같은 생각이 들었다. 모든 악재들이 뒤죽박죽 섞여 산사태처럼 나한테 쏟아진다. 혼자가 아니라도 감당하기 힘든 일을 어떻게 나 혼자서 감당해야 하는걸까? 나는 어떻게 해야하는걸까? 이 추운 겨울을 이 잔인한 세상을 그저 걷다보니 끝이 없는 절망 속으로 빨려 들러가는 느낌이 들었다.

50

산에서 잘까? 어디로 가야하지? 내 눈동자는 흔들리기 시작했다. 멍하니 길을 돌다보니까 배가 고파졌다. 하지만 아까전에 떨어진 만두 봉지는 어디로 간지도 모르겠고 수중에는 돈 한푼 없었다. 주머니를 털어보니 얼마 안 되는 돈이 나와 일단 편의점에 가서 생수 한 병을 샀다.

김지은은 공원에 앉아 배고픈 배를 생수로 채우면서 지나가는사람들을 지켜봤다. 날이 점점 어두워지자 사람들은 집으로 돌아가거나 약속 장소로 향하기 시작했다. 부럽다는 생각과 함께김지은은 한숨을 깊게 쉬었다. 괜한 생각이 떠올랐기 때문이다.

"차라리 나도 데리고 가지..."

김지은은 그 말 한 마디를 중얼거리고 스스로를 한탄했다. 추운 겨울이라서 그런지 입에서 김이 나온다. 이대로라면 동사하는건 시간문제이다. 어쩌면 이게 내 마지막이 아닐까.. 라는 생각도 들었다. 그런 생각을 하면서 의자에 누어 추위를 피해보려고몸을 동글게 말았다. 너무나도 추운데 눈이 저절로 감긴다.

밤사이에 눈이 올수도 있었지만 중요한건 그게 아니였다. 어쩌면나도 모르는 사이에 이대로 죽음을 맞이하기를 기대했던것을수도 있으니까 말이다. 적어도 누가 깨우기 전에는 말이다.

"어이 괜찮아? 정신 차려!"

잠든지 얼마 되지 않은 것 같은데 한 여자의 목소리가 들려온다. 나는 그 희미하게 들리는 목소리에 아무런 반응도 하지 않았다.

안소영 10화

"괜찮아요?"

점점 커지는 그 여자의 목소리에 슬슬 눈이 떠지기 시작했다.

"어...어...어..."

나는 무슨 말을 하려고 하는걸까? 무엇을 바라는 것인지도 모르는 목소리로 그저 신음소리만을 낼 뿐이었다. 내가 생각해도 참 바보같고 멍청하다. 차라리 이대로 얼어죽었으면 좋겠다고는 생각했지만 살고 싶다는 인간의 기본적인 본능일까.. 잘 모르겠지만 나는 그저 살려고 몸부림치고 있었다.

"일단 우리 집으로 가요."

시간이 얼마나 지났을까.. 나는 침대에서 눈을 떴고 따뜻한 방 안에서 유일하게 울리는 것은 공기청정기 소리와 짧은 파란색 머리의 여자아이가 다리를 꼰 체로 빨강색 커버에 "호밀밭의 파수꾼" 이라는 책을 읽고 있는 것이 내가 눈을 뜨자마자 본 장면이었다.

"신용불량자 아니면 불법체류자?"

눈을 뜨자 그 짧은 파란색 머리 여자는 나의 갈색 눈동자를 쳐다보면서 물었다.

"둘 다 아니에요."

그러자 그 여자는 호탕하게 웃으면서 말했다.

"그런데 아까전에 피 냄새가 나던데 누구라도 담그고 온 거야?"

김지은은 놀라서 자기의 옷 냄새를 맡았다. 그러자 그 짧은 파란색 머리의 여자는 호탕하게 웃으면서 거짓말이라고 말했다.

"그런데 왜 그렇게 놀라? 어제 너 얼어죽을뻔한것도 그렇고."

"아니요... 그냥..."

나는 말을 얼버부렸다.

"뭐 어때? 인간마다 다 다른 점들이 있는건데. 이야기 하기 싫으면 안 해도 돼. 내가 괜한 질문을 물어봤네. 아 내 정신 봐. 내 이름도 소개 안했네. 난 강바다야."

강바다는 웃으면서 나한테 악수를 청했다. 그 모습이 뭐라고그 웃음이 뭐라고 겨우 웃으면서 악수를 청하는건데 그 행동 하나 하나에 눈물이 나왔다.

"괜찮아. 괜찮아. 지금 어두운 하늘이 잠시 떠 있는것 뿐이야."

그녀는 울고 있는 나를 따뜻하게 안아주면서 말했다.

53

이런 감정

이런 느낌

지금까지 한번도 느껴본적이 없었던 감정이였다.

이윽고 내 안에 올라왔던 감정이 진정될 무렵 강바다는 나한테 따뜻한 보리차를 나한테 건냈다. 완전히 뜨겁지도 그렇다고 완전히 차갑지도 않은 미지근한 보리차를 천천히 마시면서 진정이 될 무렵 강바다는 나한테 물었다.

"너 몸이 좀 나아진다면 어디로 갈거야?"

"네?"

"너 어제 차 안에서 말했잖아. 갈 곳도 없고 보호자도 없다고. 그래서 어떻게 할지 궁금해서."

"모르겠어요. 그냥 가족이 있는 해외로 가려고요."

"가족이 해외에 있는거야?"

"해외라고 하기보다는 좀 먼곳에 있어요."

"흐음..."

강바다는 고민하듯이 말했다.

54

"그렇구나. 부모님이 해외에 있구나."

강바다는 고민하듯이 말한다음에 다시 말을 꺼냈다.

"뭐 어때? 세상에는 이해할수 없는 일들이 벌어지고는 하니까."

그녀가 웃으면서 말했다.

"그래서 너 이름은 뭐야? 생각해보니까 궁금하기는 하네."

"김지은. 김지은이요."

"아무튼 잘 부탁해. 김지은."

강바다가 웃으면서 그녀한테 악수를 청했다.

"둘이 감동적인 대화를 하는건 괜찮은데 나도 좀 방 안에 들어가자. 춥다고!"

방금 샤워를 하고 나온 짧은 주황색 머리의 여자아이가 검은색 반팔 티셔츠와 체크 무늬의 긴 잠옷 바지를 입은체로 말했다.

"미안. 미안. 안소영."

강바다는 미안한듯이 안소영한테 말했다.

"돈 아낀다고 안방에만 난방을 켰는데 생각해보니까 후회되네. 얼음장처럼 추워."

안소영은 온 몸을 부들부들 떨면서 말했다.

"그러니까 그러지 말자고 했잖아. 안소영."

강바다가 웃으면서 말했다.

"거실까지 난방을 틀면 난방비가 얼마나 나오는 줄 알아?"

안소영이 잔소리를 하면서 말했다.

"알았어. 알았어. 이제 잔소리는 그만."

강바다는 웃으면서 말했다.

"두 분은 가족인가요? 친구 사이인가요?"

나는 웃으면서 말했다.

"가족도 아니고 친구도 아니야. 애인 관계지."

안소영이 웃으면서 말했다.

56

여자들끼리 가족도 친구도 아닌 애인 관계로 살아가는 건 들어보지도 못했고 지금 처음 보는 것이라서 당황스럽기는 하지만 그 당황스럽고 들어보지도 못한 티를 내는 것은 예의가 아닌 것 같아서 이야기하지도 내색하지도 않았다.

그때는 몰랐다.

이 어색한 가족관계가

내 모든 것이 될줄은

내 여름이 될 줄은 몰랐으니까.

안소영 11화

내가 절대로 쫓아가지 못하는 속도로 시간은 지나간다.

17살 김지은은 절대로 쫓아가지

못하는 속도로 20살

어른이 되었고

미숙하고 방황했던 그때의 그 순간은

형태도 모습도 냄새도 나지 않았고

지금은 희미하게 기억만 난다.

고등학교를 어찌어찌 간신히 졸업하고 수능까지 끝나아무 것도 할 필요 없이 대학에 원서를 넣고 다니던 12월에 어느 날 강바다와 안소영 그리고 나는 작은 여행을 떠났다. 우리에게는 금지되었지만 아주 나쁜 짓은 아닌 일였다.

안소영이 운전한 자동차로 한참을 달려 도착한 바다 위에는 겨울이라서 그런지 쌀쌀했지만 묵직한 구름이 깔려 있었다.

자동차에서 내리자 마자 그 묵직한 구름은 마치 거대한 고래가 엎드려 있는 것처럼 보여서 그 거대한 스케일에 나는 저절로 박수가 나왔다.

나는 그저 그 압도적인 스케일에 가슴이 두근거렸다.

바다와 닿아있는 구름의 색깔은 바다 저 멀리 떨어져 있는 섬들과 잘 구분이 가지 않았다. 그 모습은 흡사 신기루 같았고 나는 그저 넋을 잃고 그 풍경을 봐라봤다.

"야. 김지은 소영이 언니 두고 가기냐?"

안소영 언니가 투덜거리는 목소리로 말했다.

"미안 소영이 언니. 오랫만에 밖에 나온거라서."

나는 웃으면서 안소영 언니를 쳐다봤다.

"하긴.. 김지은 너 오랫만에 나온건 맞으니까 오늘은 봐준다."

안소영 언니는 통명스러운 말투로 말했다.

"알았어요. 안소영 언니."

김지은은 모래사장에 털석 앉으면서 말했다.

"세월 참 빠르다. 17살이었던 너가 벌써 20살이라니. 우여곡절도 많았고 바보 같았던 시절도 있었고 무언가 나사 빠진것 같이 행동했던 세월도 있었지만 그래도 너랑 같은 공기를 마시고 같은 집에서 생활을 하던 것이 좋았어. 다시 그때로돌아가도 그 순간을 선택했을거야. 강바다. 넌 우리한테 여름이고 모든 거야. 부모로서 친구로서 말하는 거야."

안소영은 갈색 더블알엘 스웨이드 가죽 자켓 안 주머니에서메비우스 담배에 불을 붙쳤다. 곧 이어 그녀의 입 안에서 하얀색 담배 연기가 나왔다. 그 연기가 그 지독하고 매쾌한 담배 냄새가 사랑스럽게 느껴졌다.

사랑의 감정이 언니와 동생의 관계이자 어떤 사람들은 인정하지 않겠지만 가족의관계라는 생각도 들었다. 법적으로도 주위의 시선은 인정하지 않겠지만 나한테는 이 관계가 피 한 방울 안 섞였지만 가족이고 어떤 일이 있어도 내 모든 것이라고 당당하게 말할수있다는 생각으로 안소영 언니 어깨에 내 몸을 눕혔다.

"이렇게 소영 언니 어깨에 눕히니까 옛날 생각 나요."

59

"저 키워주고 남들이 경멸하는 일인지언정 자기 손에 피를 묻칠지언정 항상 포기하지 않고 끝까지 저를 책임져주셨잖아요. 무뚝뚝할지언정 항상 늦게 퇴근해도 피 묻은 셔츠를 벗고 다정하게 저를 안아줬던 기억도 제가 앞으로 나가는걸 두려워해도 말 대신 어깨에 눕게 해준 그 마음이 그 따뜻함이 생각이 나요."

그렇다. 설령 누군가는 우리를 경멸할수도

증오의 대상을 삼을수도 있어도

청부살인자라고 욕할 지언정

나한테는 그들이 가족이고

피가 섞이지 않았을지언정

그 무엇보다 소중하다.

평범하지도

정상 범주에도 든다고 생각 한번 한 적 없지만

나는 그리고 우리는

지금 이 순간 그대로 살아가기를

그렇게 살수 있었더라면 좋았을텐데.

안소영 12화

유리병이 어느 쪽이라고 그랬지? 분명 아침에 강바다 언니가 말해준 것 같은데 전혀 기억이 나지 않는다. 근처 주민이나 청소부한테 물어보려고 했지만 설상가상으로 주위에는 아무도 없었다. 할수없이 나는 분리수거함에서 한참동안 고민하다가 결국 포기하고 술병과 쓰레기봉투를 그 바닥에 내려놓았다. 이렇게라도 하면 누가 어떻게 해주겠지. 라는 생각이 너무 양심이없지만 어쩔수 없다.

쓰레기를 만지느냐 찝찝한 손을 털고 잠시 쉴 겸 근처 벤치에앉았다. 어느새 겨울이라서 그런지 어두워진 하늘을 보면서 희뿌연 입김을 내쉬었다. 3년전 금방이라도 불안정했고 죽으려고 결심했던 내 자신은 어느새 금방 20살 생일이 지나 21살이 되었다. 금방이라도 죽을것 같았고 위태로웠던 내 자신은 강바다언니와 안소영 언니의 가족이 되어서 숨을 쉬고 있다. 마냥 얹혀살수 없어서 잡다한 집안일을 내가 다 하고 있는데 지루하기는 하지만 나쁘지는 않다. 삶과 죽음 사이를 달리는 대신 이렇게 여생을 보내고 싶다.

"어머. 김지은."

자리에서 일어나서 다시 집으로 가려고 하던 와중에 포마드를약간 바른 짧은 노란색 머리에 노란색 눈동자 크림색 폴로 퍼플라벨 터틀넥 스웨터에 더블 버튼이 달린 황토색에 가까운 갈색 폴로 퍼플라벨 코트에 검은색 톰 포드 선글라스를 비스듬히 내린채 어두운 리바이스 LVC 청바지를 아래에 특이하게도 구두대신 디즈니에서 콜라보레이션을 한 밝은 색상에 컬러에 디즈니의 상징인 미키마우스와 여자 도널드 딕 패치가 붙어있었다.

61

순간 내 직감이 이 여자는 위험한 여자라는 생각이 들어서 자리에서 일어나려는 순간 그 여자는 밝은 회색 발터 PPK 권총을 꺼내서 내 머리 정 가운데에 조준했다.

"장난감 가지고 수작 부리는거 받아줄 기분 아닌데요."

그러자 그 여자는 말 대신 밝은 회색 단축형 발터 PPK 권총의 탄창을 꺼내서 보여줬다. 그 총은 단순한 에어건도 비비탄 총도 아닌 진짜 탄피가 들어있는 차가운 권총이였다.

"자기야. 나도 너랑 말 장난쳐줄 기분 아니거든."

그녀가 웃으면서 밝은 회색 단축형 발터 PPK 권총을 갈색 폴로 퍼플라벨 코트 안 주머니에 넣으면서 말했다. 그때 내 마음속에 든 생각은 잘못 걸렸다는 생각이 들었다.

"그래서 원하시는게 뭔데요?"

나는 최대한 흥분된 마음을 안정시키고 담담하게 말했다.

"일단 내 차에나 타. 아무 일도 없었던것처럼. 안 그러면 알지?"

그녀는 입에 물고 있는 말보로 레드에 초록색 바탕에 하얀색 다이아몬드가 박혀 있는 듀퐁 라이터로 불을 붙치면서 말했다.

나는 말 대신 가볍게 고개를 끄덕였다.

62

"그래. 그렇게 나와야 착한 아이지."

노란색 머리의 그녀는 피우던 말보로 레드를 바닥에 비비면서 말했다.

바라던 바도 아니고 어쩔수 없지만 나는 자리에서 일어나 그녀를 따라갔다.

안소영 13화

"어디로 가는 거죠?"

회색 렉서스 NX-sport 2세대 모델 조수석에 탄 나는 그녀한테 물었다. 그녀는 피우던 말보로 레드를 창문 밖으로 던지면서 말했다.

"가면 알게 될거야. 나 지금 운전하니까."

순간 내 입에서는 저 년 뭐야? 라는 말이 튀어나올뻔했지만 머리에 작은 구멍 하나가 생기기 싫어서 그냥 그 말에 고개만 끄덕거리고 입을 닫았다.

"야. 김지은 일어나."

얼마쯤 지났을까... 짧은 노란색 머리의 여자아이는 나를 깨웠다.

"알겠으니까 너무 거칠게 깨우지 마세요."

나는 퉁명스럽게 말했다.

"원래 다른 사람 여기 안 들어오게 하는데 영광인줄 알아."

짧은 노란색 머리의 여자아이가 퉁명스럽게 말하면서 차 문을 닫았다.

지하주차장에서 내려 그녀는 엘리베이터의 버튼을 눌렀다. 솔직히 말하면 예상외로 놀랐다. 어디 폐공장으로 데려가서 나를 분쇄기에 갈아서 돼지 밥으로 주는 결말까지 각오하고 있었는데 호화로운 오피스텔로 와서 말이다.

"꽤 호화로운데요."

엘리베이터가 멈추고 집 도어락 문을 열고 있는 그녀한테 혼잣말처럼 말했다.

"..."

그녀는 아무 말도 하지 않고 도어락의 비밀번호를 치고 문을 열었다.

집은 호화스러운 오피스텔 로비에 비해서 깔끔하고 단순했다. 하얀색 대리석 바닥에 빨강색에 노란색 동그라미 무늬가 거실 카페트로 깔려있었고 거실 한 가운데에는 아마 3m정도 되는 거대한 유리 창문이 있었고 창문 밖으로는 저녁 한강의 수많은 자동차들이 지나가고 있는 모습이 밝은 물고기들처럼 보였다.

"술이나 한 잔 할래? 김지은?

64

짧은 노란색 머리의 그녀는 밝은 갈색 폴로 퍼플라벨 코트를 벗고 의자에 앉아서 얼음이 들어간 위스키 잔에 1962년산 멕켈란을 따르면서 말했다.

"위스키 말고 샴페인 같은거 없어요?"

김지은은 그녀 옆 의자에 앉은 다음에 말했다.

"이런 날에 샴페인 같은거 마시기에는 너무 아깝지 않아?"

짧은 노란색 머리의 그녀는 와인 냉장고에서 로마데 콩티 1985년 빈티지 와인을 꺼내면서 말했다. 노란색 머리의 그녀는 아까전에 마신 1962년산 멕켈란 위스키가 꽤 독했나본지 다리를 조금 휘청거렸다. 다행히 와인은 깨지지 않았다.

"미안. 미안. 조금 취하기는 했거든."

그녀는 1985년 로마데 콩티 와인병을 보라색 대리석으로 된 부엌 식탁에 올려놓으면서 말했다.

그러고는 그녀는 검은색 바탕에 하얀색 다이아가 박힌 듀퐁 라이터로 부엌 식탁 위에 있는 말보로 레드에 불을 붙쳤다.

65

"우웩.. 담배 냄새.."

김지은이 코를 막으면서 말했다.

"너무하네. 못해도 중형차 한 대 값 와인을 대접하는데."

그 말에 김지은은 잠이 확 깼다. 짧은 노란색 머리의 그녀가 입은 옷부터 타는 차 호화스럽다는 말로도 부족한 오피스텔 로비부터 분명 그녀가 예사로운 인간은 아닐거라고 생각해왔지만 겨우 이 와인 한병에 중형차 한 대 값을 지불할거라고는 예상하지 못했다. 적어도 내 상식선 안에서는 말이다.

"그래도 내 집에 온 손님인데 한 잔 해야지."

짧은 노란색 머리의 그녀는 부엌 안으로 들어가서 와인잔을 꺼냈다. 이상하다. 처음에는 거칠어보였는데 나를 죽일듯이대했는데 지금 이 순간에 그녀는 꽤나 즐거워보인다. 술의위력인걸까? 아니면 그냥 그것또한 그녀의 한 면인걸까? 아마 그건 내가 평생 모르는 미스터리한 일이고 그다지 알고싶지는 않다. 각자의 인생에는 각자의 사정이 있는 편이고 각자의 슬픔과 기쁨이 존재하는것이니까.

이윽고 그녀가 나한테 1985년 로마데 콩티 와인을 따라 나한테 건낸다. 진한 빨강색 액체가 넘실 넘실 거린다. 마치 강바다 언니와 안소영 언니가 사람을 죽였을때 나왔던 진한 피처럼.

"뭔 생각을 그렇게 해?"

66

짧은 노란색 머리의 그녀는 한참동안 내 갈색 눈동자를 쳐다봤다. 자기 눈에는 그 눈동자 색이 특이하고 신기해보였다는 생각이 들었지만 나한테는 그녀의 밝은 노란색 눈동자가 더 신기하고 특이해보인다. 아마 렌즈를 꼈나?

태생적으로 노란색 눈동자는 불가능할텐데.. 그럼 혼혈인건가.. 아니면 백인인건가.. 여러가지 생각들이 내 머릿속에 가득차서 혼란스럽다. 생각해보면 별 거 아닌건데.

"하긴 내 이름도 이야기 안 했네. 내 정신 좀 봐. 내 이름은 타케시 레몬이야."

자기 이름을 이야기하자마자 그녀는 왼손을 내밀어서 악수를 청했다. 그녀의 크림색 퍼플 라벨 터틀랙 스웨터에서는 진한 말보로 레드 냄새와 입에서 약간의 달콤한 알콜 향이 났다. 순백처럼 하얀 그녀의 얼굴은 술에 취했는지 약간 빨개져있었다. 나는 타케시 레몬의 손을 잡아 악수를 청했다.

"나이는요?"

나는 악수를 한 다음에 그녀한테 물었다.

"27"

술에 약간 취해있어서 그런지 그녀는 가볍게 말했다.

67

"전 21살이에요. 레몬 언니."

김지은은 갈색 눈동자로 레몬은 쳐다보면서 말했다.

"꽤 매력적인 눈동자네. 김지은."

레몬이 웃으면서 와인잔에 남은 로마데 콩티 와인을 따랐다.

"지금 저 꼬시는거에요?"

김지은이 웃으면서 말했다.

"아니 그건 아니야. 나 애인 있어."

타케시 레몬은 고개를 저으면서 말했다.

"이 보라색 머리 여자인가요?"

김지은이 타케시 레몬한테 거실 책상 위에 있는 사진을 보여주면서 말했다.

"안 알려줬는데 잘 알아냈네."

68

레몬은 웃으면서 김지은한테 그 사진 액자를 받았다.

갈색 코듀로이 폴로 진스 블레이저에 버튼 하나 풀른 똑딱이 버튼의 밝은 리바이스 데님 셔츠에 어두운 리바이스 501을 입고 있는 짧은 노란색 머리의 타케시 레몬과 회색 톰포드 정장에 하얀색 톰포드 드레스 셔츠에 회색 넥타이를 메고 있는 약간의 포마드를 바른 짧은 보라색 여자가 눈에 띄였던 그런 사진이다.

"어디서 찍은 사진인가요?"

김지은이 취한 목소리로 물어봤다.

"매력적이지. 너가 상상하는 것 만큼."

"사귄지 1년째 되던 날 동성 결혼식을 올렸던 켈리포니아 법정에서 찍었어."

레몬은 추억에 잠긴듯한 눈빛으로 사진을 쳐다보면서 말했다.

"애인은 어떤 사람인가요?"

김지은은 레몬의 눈을 똑바로 쳐다보면서 말했다.

69

"너무 추상적인데요. 타케시 레몬씨."

김지은이 웃으면서 말했다.

"많은 일들을 겪다보면 추상적으로 상황을 설명하게 되거든."

레몬이 씁쓸한 미소를 지으면서 남은 1985년산 로마데 콩티 와인을 따랐다. 그 미소는 아름다웠지만 분명 무언가 사연이 있는 듯한 미소라서 그런지 애처롭고 슬프게 느껴졌다. 저 노란색 눈동자 안에는 무엇이 숨겨져 있을까.. 같은 생각도 들던 사이 레몬은 와인 잔을 나한테 건넸다.

"참 사랑이라는게 좋기도 하고 두렵기도 해. 한 순간에 불꽃놀이처럼 모든 것을 줘도 아깝지 않을 정도로 아름답게타다가도 정작 1분만 지나면 매쾌한 냄새와 함께 화려했던기억은 사라지게 되는거지. 내가 아무것도 하지 않아도 세상은 날 가만히 두지 않았어. 양다혜 전에 두 명의 전 애인도 그랬고."

타케시 레몬은 떨리는 말투로 말했다.

"한 명은 여동생처럼 아꼈던 사이인데 불행하게도 학교 폭력의 희생자가 되어서 극단적인 선택을 했고 또 다른 한 명은 강력계 형사인데 현실적인 문제로 인해서 헤어졌어. 솔직히 좋기는 하지. 누군가를 사랑할수 있다든거."

타케시 레몬은 감정이 스멀스멀 세어나오는 말투로 말을 이어나갔다.

70

"근데 상처 받는건 어쩔수 없더라. 두렵고 화가 나고 어떻게 할수도 없는 과정에서 나는 괜찮은데 내 애인이 상처 받는게 그게두려워. 그건 내가 대신해줄수가 없는 것이거든. 그래서 지금이 순간이 좋기도 하면서도 매우 불안해. 이건 다혜한테 말할수도 어디 털어놓을 곳도 없어."

김지은은 그저 타케시 레몬의 말을 듣기만 했다. 아무 말도 하지 않은체로. 생각해보면 그게 옳은 것일수도 있다. 그녀가 지내온 거대한 시간 앞에서 무슨 말을 할수 있을까? 내가 무언가라도 말을 하는 것이 무례한것이겠지.

시간은 악의를 가지고 흘렀고

창 밖의 자동차들의 불빛은

조그마한 점들이

먼지만큼 작아지도록 한산해졌다.

지금 생각해보면

그때 아무 말도 하지 못한 것이 후회가 된다.

안소영 14화

어둠이 몰려오고

꿈 속으로 빨려들어간다.

71

그곳에서는 나는 무엇이든지 될 수 있다.

"레몬 언니 여기 여기야!"

검은색 폴로 퍼플라벨 스트라이프 정장에 하얀색 폴로 퍼플라벨 드레스 셔츠에 단정하게 매져있는 짙은 빨강색 타이를 한 내가 시오이 마린과 같이 있다.

그녀는 웃는 얼굴로 나를 부르고 있었고 나는 그녀가 좋아하는 빨강색 장미 다발을 든 체로 웃으면서 그녀한테 다가간다. 그 향기로움에 잠시 취해서 바보 처럼 웃어본다.

고등학교 졸업식이 끝나고 평소에 탔던 짙은 초록색 렌드로버에 몸을 실고 배를 타고 이 섬을 떠난다. 점심은 처음 우리가 만났을때 먹었던 KFC 치킨 팩 세트를 차 안에서 먹으면서 실 없이 웃으면서 이야기를 나눈다.

그곳에서의 삶은 여유롭고

약간 지루하면서도

박진감 넘치고

익숙하지만

여전히 행복하고

새롭게 하고 싶은 일들이 많다.

72

그저 하루 하루가 두근거림의 연속이다.

나와 시오이 마린이 같이 있는 것

누구의 주목도 받지 않고

시련도 동정도 분노조차도 받지 않는 삶

내가 바란건 고작 그것뿐이었는데

"그러기에는 너무 역겹지는 않아?"

정체를 알수 없는 두려움이 내 귀에 속삭였다.

놀란 나는 숨을 내쉬면서 잠에서 깼고그녀와 같이 했던 꿈은 흔적도 없이 사라지고 현실만 남는다.

술 기운 때문인걸까? 아니면 충동적인걸까? 어느 쪽이든 지잘 모르겠지만 김지은은 어제 입었던 옷 그대로 침대에 서자고 있었고 나 또한 어제 입었던 크림색 폴로 퍼플라 벨 터틀넥 스웨터에 어두운 리바이스 LVC 청바지를 입은 체로 침대에서 일어났다. 그녀의 옅은 숨소리와 뒤척이는 소리를 뒤로 하고 말이다.

침실 안에 있는 닫쳐진 커튼 사이로 작은 빛이 들어온다.

73

이제 슬슬 나가야 할 시간이다.

나는 드레스 룸에서 파란색 폴로 퍼플라벨 드레스 셔츠와 밝은 노란색에 빨강색 점이 박혀져 있는 폴로 넥타이와 하얀색 폴로 블레이저에 밝은 리바이스 501 청바지를 입고 현관에서보라색 폴로 퍼플라벨 로퍼를 신으려고 하던 와중에 그녀가 일어났다. 부시시한 얼굴에 눈을 비비면서 말이다.

"김지은 일어났어?"

"네.. 피곤하네요."

그녀는 하품을 하면서 말했다.

"얼굴 씻고 따라와. 갈때가 있으니까."

레몬은 꽤나 진지한 말투로 말했다.

안소영 15화

비슷한 매일매일,

오늘도 내일도 그리고 1년뒤도 2년뒤도 다르지 않게 흘러갈거라는 환상속에서 살았던 시절이있었다.

꽤나 오래전 이야기지만 그 이야기는 시오이 마린도 그리고 내 자신도 꿈꿨던 이야기이다.

그러나

그녀의 죽음은

내 모든 것을 바꾸어 놓았고

나를 미련이라는 덫에 걸려

아직도 진흙탕 속으로 빠져나오지 못하게 만들었다.

시오이 마린의 비극적인 죽음과 은시현의 이별 이후남자와의 결혼을 진지하게 고려해본적이 있었다.

하지만 그 역시도 엎어졌다.

내가 예상한 것 이상으로 결혼은 수많은 계산이 있었고 무조간 내가 약점을 보여야 했고 그 약점을 빌미삼아 애완견처럼 목줄에 끌려 이리저리 다녀야 하는 생활인것을 알고나서 포기했다.

그 선택을 하지 않는 것이

나한테는 그다지 어려운 일이 아니였다.

아마 처음부터 본능적으로 내가 택한거니까.

어차피 도피성 결혼이라는 딱지는

나를 더욱더 불행하게 만들거니까.

75

그러한 삶을 살아가다보니 나는 자연스럽게 이별과 작별에익숙해졌다. 어차피 헤어짐이라는건 지극히 자연스러운 과정이니까. 정을 주지 않으면 상처 받을 일도 없으니까. 처음에는 힘들고 고통스러웠지만 여러 과정들을 거치고 나니 어느새 벼틸만한 수준으로 성장했다. 나는 그런 내가 자랑스러웠고 강인한 마음을 가지고 있다는 것에 자부심이 있다.

"나는 강해."

마치 주문처럼 외워야하는

그래야 어떤 방식으로든지 나아갈수 있는 나.

그렇게 21살의 어린아이는 27살이 되었고 이제 3년뒤면 30살이 된다. 1년전 26살 이름조차 기억나지 않았던 히로시마의 대학에서 만난 짧은 보라색 머리카락을 한 여자아이양다혜 그녀는 겉으로는 강인해보였지만 속은 강인하지 않은 아이였다. 겉은 남자 같아보였지만 목소리는 부드럽고 순수했던 아이.

그 아이를 처음 만난 순간 설명할수 없는 무언가가 움직였다. 새로운 삶에 대한 용기라고 해야할까? 아니면 인생이라는 고독한 우주비행의 믿을수 있는 동료를 얻은 기쁨이었을까?

레즈비언의 사랑이 항상 의심받는 것을 알면서도 그 질문을 던지는 사람이 납득할때까지 계속 그 답을 해야하는 오락실의 핑퐁 게임 같은 삶을 살아야 하는 것을 알면서도나는 그녀를 내 품 안으로 더 깊숙히 받아드렸다.

76

생각해보면 사회는 여성을 사랑하는 여성한테 여성과 연대하고자 하는 여성들한테 여성조차 여성한테 각박한 사회다.

대학교에서 양다혜랑 사귄다는걸 알게 된 이후에 받은 시선중에 일부는 우리의 사랑을 응원해주는 사람들도 있었지만 대다수는 이상하게 생각하거나 경멸하는 경우도 있었으니까. 어린 날 한때의 방황이라고 너가 어려서 그렇다고 헷갈려서 그런 것이라는 말은 이미 많이 들었다. 너가 양다혜의 인생을 어떻게 책임질꺼라는 주제 넘은 말도 들어서 싸운적이 한 두번이 아니니까.

여성과의 사랑은 헷갈려서 한 방황이고

남성과의 사랑은 감히 몰라서는 안 되는 것

그 주제 넘는 말을 듣고 선 나는 이단아였고

동시에 상처투성이기도 했다.

나를 지키면서 조금씩 야금야금 내 여자친구랑 사랑하고 싶어하는 사소한 꿈은 주위 사람들 사이에서 전혀 납득받지 못했다. 아니 그들은 납득할수가 없겠지. 레즈비언의 사랑은 언제나 의심받아왔으니까.

그들은 항상 이렇게 말한다.

"나도 여자한테 고백받아본적 있어."

"남자랑 사랑하기 싫어서 여자랑 사랑하려고 한 적이 있어."

77

그리고 마지막에 공통적으로 붙는 말 한 마디

"그 모든 상황과 리스크를 책임질수 있어?"

나는 그 말이 진저리나게 싫다.

그리고 결론은 언제나 진절머리나게 똑같다. 섣부른 상황 만들지 말고 순순히 사회가 따르라는데로 남자친구를 만들어서 결혼해서 애 낳으라고. 다른 여자 아이들처럼 닥치고 남자를 사랑하라고. 그래야 한다고. 굳이 사회의 따가운 시선을 감수하면서 여자를 사귈 이유가 왜 있냐고? 내가 레즈비언이라는 이유로 직접적으로 간접적으로 듣는 말들. 정말인지 좆 같아서 싸운 적이 태반이다.

그런 난장판 같은 싸움에

이 김지은이라는

아이가 벼틸수 있을까?

같은 생각이 든다.

그녀는 나보다 더 강한것 같지만 아직 이런 치명상을 입히려고 날라오는 오락실 야구 기계에 그녀를 세워놓기에는 너무나도 무책임하고 위험하다. 세상은 생각보다 내가 상상하는 것보다 잔인하기 때문이다. 그래서 떨어트려 놓으려는것이다. 강바다와 안소영의 안전을 위해서도 그리고 김지은 본인을 위해서도.

내가 그 아이의 인생을 책임지려고 최대한 노력해보려고 다. 어떤 이는 잔인하다고 말할수도 어떤 이는 왜 그렇게 까지하냐고 물을수도 있다. 이해한다. 그들은 그들만의 생각이 있는 것이니까. 그리고 내 자신도 나만의 생각이 있으니까. 내가 선택하는 거다. 사실 이렇게 할 필요는 없었다. 그 아이를볼때마다 6년전 다네카 섬에서 처음 만난 시오이 마린이라는여자아이가 떠오른다. 너무나도 소중하고 그 어떤 것을 줘도바꿀수 없었던 나의 첫 사랑 눈에 넣어도 안 아플 여동생 같은 아이 그러나 나는 그 아이를 아무것도 하지 못하고 허무하게 잃고 말았다.

아무것도 하지 못했다는 허무함 때문일까?

아니면 그나마 남아있는 그녀의 희미한 기억때문일까?

잘 모르겠지만 왠지 그녀를 지켜줘야 할것 같은

강한 의무감이 들었다.

안소영 16화

친자매라는것은 무엇일까?

피를 나눈 형제라는 것은 무엇이고?

아마 이런 질문에 대답하려고 하다보면 내 대답은 항상 엉성해진다. 하긴 그럴만도 하다. 원래 나한테는 친자매도 피를 나눈 형제 따위도 없으니까.

그 질문에 엉성한 대답 대신 확실하게 대답할수 있게 만든사람은 지금까지 두 명 정도 있다. 안소영과 3년전 17살때얼음장처럼 추웠던 날에 동사하기 직전인 갈색 머리카락 여자아이인 김지은이라는 아이. 내 모든 것을 걸고 키웠던 내혈육보다 더 소중한 아이. 그 아이와 자살로 생을 마감하려고 했던 나를 억지로 병원까지 데려가서 구해줬고 지금 애인의 관계로 살고 있는 안소영.

이 둘뿐이다.

"그럴만 해서 그런거야."

어떻게 김지은과 나의 관계를 알고 있었던 것인지 타케시 레몬은 나한테 김지은을 먼데로 보낸다고 말하면서 한 말이다.

때때로 어떤 대답은 이기적이고

무책임하다고 느껴질때가 있다.

그러나 나는 아무 말도

아무런 행동도 할수가 없다.

그저 시간이 약이라고 믿을뿐.

안소영 17화

사실상 부모 없이 자란 나는 가정을 꾸리고 사는 것이 꿈이었다.

강바다와 김지은은 나한테는 꿈이었다. 더 정확하게 말하면 구원이었다. 그 둘은 언제나 해맑았고 긍정적이었고 당찬 사람들이었다. 타케시 레몬의 청부살인업자로 속어로 말하면 도축업자로 살아온 나는 겉으로 들어내지는 않았지만 두려움과 공허함 그리고 매일 내가 죽인 사람들의 비명소리가 꿈에 나오는 트라우마에 쌓여져 있었다.

그런 삶을 살아가던 나한테는

이 둘은 새로운 두번째 삶과 같은 선물이었다.

밝고 짧은 파란색 머리카락의 그녀와 긴 갈색 머리카락의 내 자식같은 아이. 분명 사람들은 우리를 욕하고 비난할 것이다. 남을 잔인하게 죽여서 돈을 버는 파렴치한 인간이라고 레즈비언이 가정을 꾸리고 산다고 감히 그들이 생각하는 가족상인 이성애자의 선을 넘는다고 자신을 정상인으로 포장하면서 나와 아니 그 집단과 다른 사람들한테는 비난과 조롱의 화살을 쏘아내는 작자들 말이다.

자신이 캡틴처럼 정의롭다고 생각하지만 정작 캡틴이라고 리더라고 불릴자격도 없는 종자들 말이다.

평소에 강인해보였던 나도

그녀들 앞에서는

81

주인을 따라다니는 강아지처럼 순수한 아이가 되었다.

그래서 그녀들을 위해서 열심히 돈을 벌었다.

나를 선택한 강바다와 나의 소중한 자식인 김지은의

삶에 조금이나마 도움이 되고 싶었다.

나 또한 그녀들과의 섞여 같은 꿈을 꾸고 있으니까.

나의 자식인 김지은은 사라졌지만

자식을 사랑하는 부모의 마음은 존재했다.

그녀 또한 마찬가지일것이다.

안소영 18화

"자 그래도 다들 건배 한번 하죠?"

문 형사가 어떻게든지 분위기를 띄우기 위해서 억지로 활기찬 목소리로 말했다.

그래도 거의 몇달 만에 하는강력 2팀 회식인데 분위기가 영 아닌 것 같아서 신경쓰인 모양이다. 그 억지로 활기찬 말에 다들 어설픈 웃음을 지으면서 잔을 들었다.

"건배!"

나는 어설픈 목소리로 잔을 비우면서 말했다. 혼자서 들 뜬행동을 하는 것이 그저 안쓰러울뿐이였다. 해결된 사건 도없는데 굳이 시간을 내서 회식을 하는 이유가 이해가 가지않는다. 나는 그 적적한 마음을 달래기 위해서 불판 위에 소고기만 그저 뒤적뒤적 거렸다.

"김 형사."

내 옆에 앉아 있는 박용찬 선배가 말을 걸었다.

"어제 일은 잘 처리했냐?"

그는 퉁명스럽게 말했다. 아마 안소영하고 강바다 일을 말하는 것 같았다. 나는 그 말에 고개를 끄덕였다.

"매번 잘 처리했다고 대답만 잘 하지. 안소영하고 강바 다 그년 어떻게든지 꼬투리 잡아서 처 넣으란 말이야. 안 그래도 개들 조직 윗선 잡아 넣으려고 하는데.."

뒷 말은 안 들어도 뻔한 잔소리였다. 매번 저 양반은 술만 들어가면 취기에 잔소리를 계속 지꺼린다. 참.. 한심한 양 반이라는 생각을 하면서 대충 건성 건성 고개를 끄덕이면 서 대답했다.

"너 내 말 듣고 있기는 하냐? 김지은?"

그가 신경질적으로 말했다.

83

"네.네."

나는 건성으로 말했다.

"내가 뭐라고 그랬는데?"

"그게..."

뭐라고 말했더라? 술이 들어가서 잘 기억이 안 난다. 내가 한동안 아무런 대답도 못하고 있으니 그는 나한테 신경질적으로 화를 냈다.

"이 새끼가..."

그는 나의 멱살을 잡았다. 그러자 문 형사와 다른 형사들이 그를 말렸다. 그렇게 소란스러운 와중에도 팀장님은 고기를 구워서 다른 형사들한테 나누어주고 있었다.

"탄다. 빨리 먹어."

한번 터진 그의 잔소리는 끊어질줄을 몰랐다. 그 잔소리를 한 귀로 흘리고 고기를 먹는데 우리 옆 테이블에 갑자기 시선이 갔다. 남자 둘이 키득거리면서 잔에 맥주를따르고 있었다. 뚱뚱한 체형에 배나온 남자 둘 분명 어디서 많이 본 얼굴이다. 남자 둘은 내가 봐라보고 있다는 것도 모른체 술만 마시고 있었다.

"김지은 선배 왜요?"

막내가 나한테 물었다.

"아니. 그냥 낯이 익어서."

내 말에 박 형사도 고개를 돌렸다. 그 두 남자는 아직 아무런 눈치도 채지 못하는 것 같았다. 나는 휴대폰으로 경찰 데이터베이스에 접근해 용의자 리스트를 보여줬다.

"애 아니야?"

사진 속 두 남자는 1년전 중고품 사기를 치고 잠적한 2인조 일당이었다. 갑작히 행방이 묘현해져서 골치가 아팠던 경험이 있어서 결코 잊을수가 없는 두 얼굴이었다. 박 형사는 그 사진 속에 나온 두 남자와 현재 술을 마시고 있는 두 남자를 비교했다.

"확실히 감이 온다. 일단 조용히 있어."

"뭐야? 무슨 일인데?"

막내가 물었다. 박 형사는 조심스럽게 막내한테 내 핸드폰을 보여줬다. 그러는 동안 두 남자가 갑작스럽게 자리에서 일어났다.

아마 눈치를 챈 모양인것 같았다. 나는 누가 말리기도 전에 두 남자를 따라 나갔다. 두 남자가 간곳은 다행히도 공용 화장실이었다.

나는 조심스럽게 들어가 문을 잠궜다.

무모한 것을 알면서도.

85

몇 분 정도 지나자 남자가 볼일을 마치고 칸막이 밖으로 나왔다. 문을 열고 밖으로 나가려고 하는데 문이 잠겨 있어서 나를 흘끔 쳐다보았다. 그리고 이내 나와 눈이 마주치자 황급히자리를 피하려고 했다.

이 새끼를 놓칠수가 없어서 황급히 다리를 걸어서 그 남자를 넘어트렸다. 하지만 의외로 순발력이좋아서 그 남자는 넘어지지 않았다. 그 대신 주먹이 내 얼굴에 날라왔다. 씨발 술만 안 먹었었어도 피할수 있었는데.. 망할 알콜의 기운이 내 몸을 느려지게 만든다.

결국 한 대 맞고 말았다. 주먹으로 얼굴을 맞자 술 기운이 확사라진다. 씨발놈이 해보자는거지? 라는 다시 싸우려는 사이그 남자는 나를 발로 걷어찼다. 역겹고 찌든 오물 냄새가 나는 타일 바닥에 얼굴이 닿자 마자 분노가 하늘을 찔렀다.

이대로는 참을수가 없다.라는 생각으로 내 옆에 있는 대나무 걸래로 도망치려는 그 남자의 다리를 있는 힘껏 내려쳤다. 그 한심한 새끼는 억하는소리와 함께 바닥에 쓰러졌다. 나는 분이 안 풀려서 대나무걸래로 몇 대 더 때린 다음에 그 남자를 체포하려고 수갑을찾았다. 하지만 아까 전에 너무 급하게 나왔는지 수갑을 고기집에 놓고 왔다는 사실을 아니 한숨만이 나왔다.

씨발.. 나는이렇게 중얼거리고 수갑 대신 묶을 것을 찾아보고 있는 중에 다른 남자가 기습적으로 내 목을 졸랐다.

"씨발년이 지 잘난줄 알고 있어!"

86

그 남자는 나의 목을 세게 조르면서 말했다.

제길.. 이 새끼.. 존나 목 세게 조르잖아.. 나는 최대한 빠져나가려고 했지만 점점 힘이 빠지고 점점 얼굴이 창백해져가고 있었다.

"탕. 탕. 탕."

그때 총소리가 세번 들리더니 내 목을 조르고 있던 그 거구의 남자는 쓰러지고 나는 겨우 살아남을수가 있었다.

어떻게 된 일인지 살펴보니 막내가 총으로 문을 열고 내 목을 조르고 있는 거구의 남자의 복부를 쏜 것이었다.

"선배 괜찮아요? 걱정.."

나는 화가 난 얼굴로 막내의 멱살을 잡았다.

제기랄.. 용의자 중 한 명이 총을 그것도 장기가 밀집한 복부에 맞아서 다량의 피가 흐르고 있고 숨조차 쉬지 않고 있다. 한마디로 사망한것이다.

가뜩이나 범죄자의 인권 침해 문제로 시끄러운데 이 막내라는 년 때문에 일이 복잡하게 꼬이게 생겼으니..

정말 화가 머리끝까지 났다.

"야! 은시현 너 뭔 짓을 한 줄 알고 그러는거야!"

나는 화가 나서 고래고래 소리를 질렀다.

"너 요즘 경찰 특히 강력반 상황 모르고 그 새끼 쏜거야? 장기 밀집한 복부에? 쟤 뒤졌다고. 분명 내일 아침에 언론사 뉴스에 어떻게 뜰지 기자라고 지꺼리는 작자들이 어떻게 떠들지 그리고 선배인 내가 책임 어떻게 질지 생각도 안 하는거냐고!"

김지은은 은시현을 이글이글 거리는 눈으로 노려보면서 말했다.

"전 선배를 도우려고 그랬던거라고요! 진심으로.."

이제는 더 이상 퓨즈가 나갈 것 같다. 이성의 끈이 점점 끊어지기 시작했고 분노 게이지가 한계에 닿아서 펑 하고 터져버렸다. 결국 나는 평생 후회 하고 또 후회 할 만한 짓을 해버리고 말았다.

나는 은시현의 뺨을 강하게 쳤다.

은시현은 아무 말도 하지 않았고 그저 울기만 했다.

잠시후 고기집 사장과 직원 몇 명 그리고 팀원들이 총소리를 듣고 달려왔다. 다들 기가 막히다는 표정이었다. 공용화장실은 피투성이였고 용의자 한 명은 복부에 치명상을 입어서 과다출혈로 사망했고 또 다른 용의자 한 명은 기절해 있으니 말이다.그렇게 망연자실하고 있던 사이에 누가 부른 건지는 모르겠지만 구급차와 경찰차가 도착했다. 제기랄.. 사태 수습 어떻게 해야 하나.. 같은 생각이 머릿속에 들어 있었다.

대충 상황이 수습 되고 고기집 직원 중 한 명이 나한테 쪽지를 건냈다.

"나중에 봐."

대충 종이에 급하게 휘갈긴 글씨. 누구인지 알것 같다가 아니라 우리 엄마인 강바다이다. 곧 이어 내 휴대전화에 발신자 제한 번호로 전화가 걸려왔다.

"여보세요?"

"여보세요?"

통화 상태가 좋지 않아서 전화가 자꾸 끊어진다.

하지만 누구의 목소리인지는 알수 있다.

"지은이니"

"잘 지냈어? 엄마?"

정말 오랫만에 듣는 엄마의 목소리에 나는 잠시 울컥했다. 나는 그 울컥함을 겨우 삼키고 최대한 덤덤한 목소리로 말했다.

'나야 잘 지내지. 엄마."

나는 자갈이 굴러가는 듯한 특유의 웃음소리를 내면서 말했다.

“뭐하고 있었어?”

“일하고 있었지. 엄마.”

“만나자. 보고 싶어.”

생각해보니 그동안 바빠서 만날 시간도 없었구나. 사무칠 정도로 부모님을 만나고 싶었는데 미안한 마음이 들었다.

“미안해. 일 때문에 만날 시간도 없었지?”

“괜찮아. 그럴수도 있지.”

그 목소리에 울컥하고 있었던 와중에 문 형사가 나를 불렀다.

“김 형사 가야지.”

그 김 형사 특유의 카랑카랑한 목소리에 나는 정신이 퍼득 들었다. 일이 이렇게 커졌으니까 뒷 수습을 해야만 했다. 만나고 싶어도 못 만나는건 지극히 당연하다.

그러나 엄마의 만나자는 목소리가 신경 쓰여서 결국 나는 충동적 인 선택을 하고 말았다.

“지금 통화 했는데 아버지가 응급실이라서 가봐야 해요.”

“응 알았다. 김 형사 잘 갔다와.”

거짓말을 해서 기분은 그다지 좋지는 않지만 어쩔수 없다는 생각으로 근처 무인 꽃집에서 빨강색 장미다발을 사서 택시에 탔다. 몇 달전 내가 아빠와 엄마를 만났던 사창가 골목에서 멀리떨어진 음산한 분위기가 풍기는 곳이다. 이곳에서 나는 아빠와 엄마를 자주 만난다. 처음에는 다른 곳에서 만나자고 반대했지만 아빠와 엄마는 타케시 레몬이 눈치 챌수도 있다는 생각이 들어서 이 곳으로 약속 장소를 잡았다. 택시를 타고 음산한 분위기가 풍기는 곳으로 도착했다. 금요일인데도 음란하고 길거리에 사람 하나 없다. 그래서 그런지 가뜩이나 추운 날이 더욱더 춥게 느껴진다. 아무리 생각해봐도 남들은 우리를 이상한 조합이라고 생각할것이다. 레즈비언 부모 사이에서 자란 자녀와 거기다가 나를 키워준 부모는 악질 범죄자이고 나는 그들을 잡아야 하는 강력반 형사의 위치에 있으니까.

생각하면서도 정말 웃기는 일이다.

내가 잡아야 하는 범죄자들이 가득 차있는 모텔 골목 사이에 가만히 몸을 숨기고 기다리고 있던 와중에 나보다 적어도 10센치미터는 더 큰 두 명의 그림자가 성큼 성큼 다가온다. 언제나 잊을수가 없는 익숙한 발걸음. 안소영과 강바다다.

"만나고 싶었어."

안소영과 강바다가 말했다. 사무치게 그리웠던 음성, 바보 같을정도로 나한테는 따뜻한 목소리, 그 목소리에 나는 막 태어난신생아처럼, 첫 숨통을 튼 핏덩이처럼 죽을 힘인지 살 힘인지 모를 힘으로 울었다.

"미안. 엄마 아빠. 바뻐서 못 만나서 미안해."

91

나는 엄마와 아빠를 한참 동안 꼭 잡고 내 품에 안았다. 지금이 아니면 다시 만날수 없을 것 같다는 두려움과 공포 나또한 당신의 꿈이 되고 싶다는 그 마음이 그 감정이 충돌하던 와중에 아빠와 엄마 손이 상처투성이인것을 봤다. 나는화들짝 놀라 아빠와 엄마의 손을 꽉 잡았다.

"괜찮아? 아빠 엄마?"

나는 걱정하는 목소리로 말했다.

"아니야. 지은아. 그냥 긁힌거야. 별로 안 아파."

아빠와 엄마가 별 거 아니라는 듯이 말했다.

"지은아."

"빨리 소독하고 반창고라도 붙치자. 이 근처에 약국이.."

내가 아빠와 엄마에 손에 난 상처를 걱정하고 있는 와중에아빠는 나의 손을 잡아끌었다. 목적지는 약국이 아닌 모텔이었다. 하지만 평소처럼 아무 모텔이나 들어가지 않고 꽤나 시설이 좋은 모텔로 들어갔다. 방을 잡고 아빠가 먼저한 일은 욕조에 물을 담그는 일이었다. 그는 욕조에 물이넘치기 직전까지 받더니 입고 있었던 검은색 생로랑 르 스모킹 자켓과 하얀색 생로랑 셔츠 검은색 생로랑 청바지를벗고 검은색 속옷만 입은체로 욕조에 몸을 담갔다.

엄마는검은색 생로랑 르 스모킹 자켓만 벗어던지고 검은색 생로랑 청바지와 하얀색 생로랑 셔츠 차림으로 욕조에 들어갔다.

나는 그 모습을 그저 가만히 봐라보기만 했다. 그리고 화장실에 있는 가글액으로 찝찝한 내 입 안을 헹궜다. 거울을 보면서 아까전에 긁힌 상처를 쳐다봤다. 갈색 눈동자에 강력반형사 일에 불편해서 짧게 자른 갈색 머리카락 거칠게 맨 앞에서 용의자들을 잡느냐 상처투성이인 얼굴과 전체적으로거친 인생이라는 풍파에 찌들어져서 출구를 찾고 있는 듯한 분위기.. 그 외에도 많지만 무언가 마음에 드는 것이 없었다.

정말 한숨만 나온다. 어떻게 해야할지 고민만 하고 있는 와중에 아빠와 엄마는 나한테 욕조 안으로 들어오라고 손짓했다.

나는 그 신호에 옷을 벗기 시작했다. 입고 있던 검은색 홀리스터 후드티와 진한 네이비 리바이스 청바지를 벗고 대충 욕실 밖에 던져두고 하얀색 유니클로 반팔 티셔츠를 벗으려고하는데 아빠가 갑자기 튀어나와 나를 욕조 안으로 끌어당겼다. 덕분에 옷이 전부 젖는 것은 물론 욕조 물까지 넘치고 말았다.

"아빠도 참..."

나는 한숨을 쉬면서 안소영한테 말했다.

"그러다가 시간 다 가. 언제 그러고 있냐?"

물은 살갗이 뜨거울 정도로 온도가 높았다. 결국 나는 차가운 물을 틀어 온도를 조정했다.

"지은아."

수증기로 가득한 욕실에 아빠와 엄마의 목소리가 울린다.

93

"왜 엄마 아빠?"

"사랑해. 언제나."

뭉클하고 무언가가 올라오는 감정 따뜻한 물에 몸을 담그고있으니 긴장이 풀렸다. 엄마와 아빠는 나를 그저 품에 안고 연신 나한테 사랑한다고 귓가에 말했다. 그 말이 또 뭐라고 말라버린줄 알았던 눈물이 나왔다. 이제는 더 이상 울지 않기로 결심했는데. 이상하다.

그 눈물이 마르기 전에 엄마와 아빠는 나를 들어 침대로 데려갔다. 우리 셋에 물기 때문에 이불이 전부 젖어버렸다. 그무겁고 축축한 느낌이 맨살에 닿자 마자 소름이 끼친다. 하지만 오늘따라 그 기분이 그다지 나쁘지 않다. 그리고 나는그런 것에 개의치 않고 엄마와 아빠를 안았다.

강바다가 내 쇄골에 이빨자국을 남기는 것이 느껴진다.

나는 연신 엄마의 이름을 불렀다.

"강바다. 강바다."

"왜? 지은아?"

"더. 더해줘. 엄마."

"더?"

"응. 더해줘. 엄마."

94

나는 내일이 없는 것처럼 엄마와 아빠를 끌어 안았다. 내 바람대로 엄마와 아빠는 멈추지 않고 더 강하게 강하게 나를 끌어 안았다. 파란색 머리카락과 주황색 머리카락이 섞인 틈사이로 안소영와 강바다가 보였다.내 모든 것, 내 아빠와 엄마. 저 두 눈동자 사이로 내가 보이는데 그 모습은 상상 이상으로 아름다웠다.

엄마와 아빠는 다시는 못 만날 것 같은 애인처럼 나한테 계속 흔적을 남겼다. 나는 그 흔적들을 매만지면서 작은 미소를지었다. 우리는 계속해서 서로한테 욕심을 냈다. 서로의 맨살에 흔적을 남겼고 서로의 몸에서 흘러나오는 모든 것들을 받아먹었다. 우리 모두가 안다. 자진해서 불구덩이로 뛰어드는 머저리들을 구원해 줄 신도 사람도 없다는 것을 잘 안다.

그럼에도 그랬다.

거친 숨을 내쉬면서 나는 아빠의 목을 잡고 늘어졌다. 엄마는 늘 그랬듯이 내가 잘 느끼는 부분만 찾아서 손을 놀렸다.그 부드럽고 거친 에무를 받고 있자니 무의식적으로 눈가에 눈물이 났다.

나는 그 눈물을 엄마 아빠 몰래 손으로 닦고 흐릿해진 시야 사이로 엄마와 아빠를 처다봤다.

길거리에 버림 받은 나를 받아준 사람

별 볼일 없는 나를 자식으로 생각해준 사람

남들이 어떻게 생각할지 비난할지는 모르겠지만

우리는 서로의 구원자이다.

우리는 서로의 안식처이고

어떤 이들은 우리의 사랑을

그저 낮에 하는 불꽃놀이처럼 생각할수도 있겠지.

그 정도로 의미없고 부질없다고 생각할수도 있으니까.

엄마와 아빠가 나한테 사랑한다는 말을 속삭인다. 나도 그 말을듣자 마자 엄마와 아빠의 귀에 사랑한다는 말을 속삭인다. 어차피 다른 사람들한테는 그 사랑이 인정받지 못할 것은 엄마도 아빠도 그리고 김지은 내 자신도 잘 안 다. 그래도 실낱 같은 희망을 쥐어서 진심으로 말한다.

"사랑해."

그 말에 엄마와 아빠는 대답 대신 내 가슴을 잘근 잘근 씹었다.이럴때는 꼭 엄마와 아빠가 어린아이 같다는 생각이든다. 그모습 사이로 보이는 커튼 틈 사이에 너머를 본다. 한치 앞도 보이지 않는 어둠만이 밖에는 가득했다. 그 어둠을 봐라보면서 우리한테는 아침이 있을지 과연 이 곳에는 행복이라는 안식이 있는지 상상해봤다.

부질 없는 일이라고 해도

언젠가 그럴수 있다고 생각하면서

나는 눈을 감았다.

안소영 19화

"자 그럼 인터뷰 시작하겠습니다."

토요일 화창한 오후 히로시마의 조용한 카페에서 검은색 금장 제이프레스 더블 자켓에 파란색 스트라이프 폴로 랄프로렌 긴팔 티셔츠에 하얀색 실크 폴로 퍼플라벨 트라우저 바지를 입은 타케시 레몬이 다리를꼬고 레옹 잡지 에디터 옆에 있는 짙은 보라색 1인용 쇼파에 앉아서 책상위에 있는 말보로 레드에 검은색 듀퐁 라이터로 불을 붙쳤다.

레몬은 하얀색 담배 연기를 입에서 내뿜은 다음에 담배를 하얀색 유리 재떨이에 비빈 다음에 웃는 얼굴로 레옹 잡지 에디터를 쳐다봤다. 그녀의 빛나는 노란색 눈동자로 말이다.

"타케시 레몬씨. 오늘 레옹 잡지에 인터뷰 하러 오셔 주셔서 감사합니다. 그나저나 오늘 스타일 멋지신데요. 짧은 노란색 머리에 약간의 포마드까지 하시고 나오셨는데 혹시 언제부터 머리를 짧게 잘랐는지 물어봐도 될까요?"

초록색 코듀로이 폴로 퍼플라벨 수트에 하늘색 폴로 퍼플라벨 드레스 셔츠에 네이비와 노란색이 섞인 폴로 퍼플라벨 넥타이에 잘 닦은 갈색 크로켓 존스를 신은 에디터가 나한테 웃는 얼굴로 물었다.

"스물 한살에 일본 끝에 있는 섬인 다네카 섬에 있을때 긴 노란색 머리를 잘랐어요.그 곳에서 2년동안 서핑보드를 탔는데자주 서핑보드를 타다보니 긴 머리카락을 묶고 서핑보드를타는 것도 나중에 긴 노란색 머리카락을 씻는 것도 시간이 많이 걸려서 불편하더라고요. 그래서 귀가 보일 정도로 머리카락을 잘랐어요. 그래서 지금까지 유지하고 있죠. 여자 화장실에 들어갈때 불편하기는 하지만요."

"그 후부터 모든 공식적인 자리에서 수트 차림에 숏 컷으로 등장하셨는데 기존에 있었던 고정관념에서 어떻게 빠져나왔나요?"

"나는 민낯이 더 나은데, 왜 메이크업을 하고 사회의 흔하디흔한 모습으로 살아야 할까?어차피 우리는 영원히 살지 못할거고 언젠가 죽을텐데 왜 나만의 방식대신 남들이 따라가는방식대로 살아야 할까? 같은 질문을 이전부터 던져봤어요.내가 원해서 짧은 스커트를 하고 메이크업을 하는건 괜찮지만 그러지 않다면 그건 불행하는 생각이 들었어요."

타케시 레몬은 생수병에 있는 물을 마시면서 말을 이어나갔다.

"약간 점점 내 자신을 잃어가고 앞으로 가지 못하는 느낌?그런 느낌이 들더라고요. 그래서 결심했죠. 나 답게 살자. 남들 눈치 따위는 보지 않고 살아가는 것 자신을 위해서 살아가는 것이 중요하다는거에요. 그리고 긴 머리에 하이힐이면 불편하기도 하고요. 특히 사업할때는 더더욱 그래요. 만만해보이는 것도 싫고요."

그 말에 레옹 에디터는 작게 웃었다.

"오랫동안 락을 좋아하셨다고 들었는데 사실인가요?"

"네. 맞아요. 아마 사업가가 아니였다면 락스타가 되었을 것 같아요. 중학교때부터 기타의 전설인 지미 헨드릭스의 음반들을제 방에 쌓아놓았고 아이팟으로 그린데이의 노래들을 들었으니까요. 고등학교때는 엑스재펜의 맴버인 히데한테 빠져 살았어요. 제가 2살때 돌아가셨지만 그 강렬한 에너지는 아직도 저를움직이게 만들어요."

"다시 민감한 질문으로 돌아와서 몇일 후에 베이징 경제 포럼이 열릴것이고 타케시 레몬씨께서도 레몬뱅크 회장 자격으로 참여하실 예정이라고 들었습니다. 최근 중국 시진핑 주석이 대만을 침공할거라는 메세지를 주면서 일본과 다른 나라의 안보에 위협을 주는데 이 점에 대해서 조치를 취 실 생각이 있으신가요? 타케시레몬의 메세지는 무엇인가요?"

타케시레몬은 웃음을 지으면서 말했다.

"남성 잡지에서 포브스나 뉴욕 타임즈에서나 할법한 질문을 하니까 놀랍네요."

레몬은 잠시 고민하더니 이윽고 다시 말을 이어나갔다.

99

"일단 시진핑 주석과 저는 절친한 친구 사이입니다. 저는 레몬뱅크 회장 자격으로 중국시장에 진출해 알리바바, 틱톡, 바이두같은 중국의 핀테크 기업에도 투자를 했고 지금 중국의 결제 시스템인 위챗페이 글로벌 진출과 비자와 마스터카드 같은 해외에서 발급받은 카드로 중국 현지에서 사용할수 있도록 하는 역활을 주도하고 있습니다. 제가 개인적으로 봤을때 시진핑 주석이 대만을 침공하지는 않을 것이라고 저는 생각합니다. 그는 굉장히 똑똑합니다. 그는 대만을 무력으로 침공하기 보다는 경제적인 협력을 원합니다. 홍콩과 마카오처럼요. 그는 중국의 압도적인 경제력으로 대만을 설득할수 있다고 믿고 있습니다. 다만 서방국가들 특히 미국과 일본의 중국 해양 봉쇄 전략과 대만의 무장화에 반발해서 그가 그렇게 말했다고 저는 믿습니다."

"그럼 타케시 레몬씨께서 봐라본 시진핑 주석은 대만 침공을 하지 않을 것이다. 이런 입장이신가요?"

레옹 에디터가 진지한 표정으로 그녀를 쳐다보면서 물었다.

"네. 제 관점에서는 그렇습니다."

"그럼 질문을 바꿔서 말씀드리죠. 만약 중국이 대만을 침공한다면..."

"제가 장담드리죠. 중국 경제는 그 어떤 나라의 경제보다 튼튼하고 안정적입니다. 시진핑 주석이 대만을 침공할 가능성은 제로입니다. 제로. 궁지에 몰린 일부 대만 강경파가 중국 본토를 먼저 공격해서 전쟁이 터진다면 또 이야기가 달라지겠죠."

100

그녀는 단호한 목소리로 또박또박 레옹 에디터한테 말했다.

"그렇군요. 알겠습니다."

내가 질문을 끊어서 그런지 레옹 에디터는 얼굴이 딱딱해진채로 나한테 말했다. 하긴 그럴만 하다. 감히 여자 따위한테질문이 끊어져서 그런 것이겠지. 나도 알아. 기분 엿같다는거. 그러나 나는 달라. 그 남자보다 더 우월하고 돈이 많으니까. 결코 밀리지 않을거야. 너가 어떻게 생각하던간에 나는어설프지 않아. 난 너의 속임수를 알고 있으니까.

"그럼 인터뷰 마무리 하도록 하겠습니다. 감사합니다."

레옹 에디터는 나한테 악수를 건넸다.

안소영 20화

청소부, 시체 처리반, 회게 처리부, 세금 탈세, 불법 수출.. 그외에도 많겠지만 나와 강바다는 자의든 타의든 그 배안에 타있었고 어느새 그 운명을 받아드리게 되었다. 흔히들 하는 말처럼 나보다 나쁜 놈들도 있다고 이 정도면 양반이라고 스스로를 정당화해가면서 내 자식인 김지은을 키웠다.

설령 내가 미쳐버린다고 해도 나는 내 자식을 포기하지 않을것이다. 추운 겨울이 풀리고 커튼 틈 사이로 열린 새벽 공기 사이에서 그 생각은 더욱더 강해졌다.

우리의 꿈이 한낮의 밤처럼 무의미할지도

설령 내 몸이 갈갈리 찢어질지언정

나는 김지은과 강바다를 사랑한다.

혹자는 이렇게 말할지도 모른다. 여자들이 큰 일을 하려면선을 넘어야 한다고 세상의 길이 아니였던 곳들을 개척하면서 나아가야 한다고. 그것도 맞는 말이다. 우리는 암묵적으로 지켜야 하는 금이 생겼고 그저 눈치만 삼키는 겁쟁이들이였으니까.

앞으로도 그럴 가능성이 매우 높고. 어떤 이들은우리를 우정과 연애라는 감정 사이에서 방황하는 영혼들로보거나 아니면 그저 타락한 호모들로 보겠지. 그러나 한 가지 확실한 것은 있다.

이 모호함을 넘고 앞으로 나가려면

우리가 원하는 삶을 살아가려면

넘어진 곳에서 다시 두려움을 딛고 시작해야 한다는 점이다. 물론 명확한 문장으로 정의내릴수도 없고 수많은 싸움들 속에서 무너져내린 케익크처럼 버림 받고 방치된 결말로 끝날수도 있다.

우리의 도전은 불확실하고 남들의 조롱투성이로 가득 찬출발점조차 불공정한 에피소드니까. 정리 되지 않은감정을 우리는 사랑이고 모든 것이라고 이야기하지만 남들한테는 그저 변질된 우정이라고 메쾌한 호모들의 방탕한 이야기라고 미숙한 여자들이 망상중을 꿈꾼다고 이야기해도 용기를 내고 싶다.

그래도 더 노력할게.

수많은 싸움과 투쟁들 사이에서 우리의 영원을 확신할수 있으니까.

안소영 21화

충격적인 장면을 마주한지 얼마나 되었더라.. 절대 나를 시궁창 속으로 몰아 넣은 자들과 결코 같은 사람이 되지 말아야 한다는 다짐을 했던 것으로 기억을 하는데 어쩌다가 이렇게 되었을까?

무엇이 옳은 선택이었을까? 무엇이 잘못된 선택이었을까? 그런 것 따위는 생각할 여유는 없는데.. 자꾸만 생각하게 만든다.

"우리가 서로의 구원이 맞기는 했구나."

시오이 마린, 은시현을 거쳐서 나의 여자친구가 된 양다혜가 나한테 한 말이다.

내가 바라던 순간이야.

내가 원해왔던 순간이기도 하고.

그런데 이 오묘한 감정은 무엇일까? 전혀 기쁘지가 않다. 오히려 두려움이 나를 삼켜버린 느낌이다.그렇다고 내가 다혜를 사랑하지 않은 것은 아니야. 처음 만났을때부터 그녀만을 사랑하기를 맹세했고 앞으로도 그럴건데.. 그럴건데.. 나는 도대체 왜 흔들리고 있는걸까?

103

너무 아껴서 잡을수 없는 사람도 있다지.

다혜야 넌 나한테 그런 존재야.

나의 사랑. 나의 보라색 바다.

그 끝을 알수 없는 보라색 바다에서 나는 지금 파도를 타고 있다.

안소영 22화

우린 변하더라도 좋은 쪽으로 변할 것이다. 앞으로의 일은 장담하지 못하지만 그래도 그렇게 믿고 넘어진 곳에서 앞으로 나아가는 것이 나를 변화시킬것이라고 다혜도 나도 그렇게 믿어왔으니까.

하지만

만약

내가 내 과거를 숨기는 것에 실패해서

그녀가 내 과거를 알아버린다면

그녀는 나를 앞으로도 사랑해줄수 있을까?

영원이라는 믿음 사이에서 거센 비 사이에서 안식을 찾을 수 있을까? 그럴수 있을까?

안소영 23화

심호흡을 하면서 연신 세수를 했다. 심장이 계속 두근거렸다. 엄마와 아빠랑 헤어지자마자 꽤 오랫동안 추적했던 조선족 보이스피싱 일당들의 본거지로 가는 중이었다. 현행범으로 체포할 작정이었다. 매번 느끼지만 현장에 출동하는 것은 목숨을 걸고 지금 1분 1초가 마지막이라고 생각해야 하기때문에 적응이 되지가 않는다. 게다가 오늘은 더욱더 불길하다. 껌이라도 씹고 싶은데 이미 다 씹고 없었다. 나는 주먹을 꽉 쥐어 애꿎은 빈 껌 종이만 구겼다.

구겨진 은색 껌 종이가 여기저기 나뒹굴고 있다.

"금방 끝날거니 긴장 풀어."

아무 말이 없었던 팀장님이 나를 보고 말했다. 아마 내가 불안해하고 있는 것이 보기가 영 그랬나보다. 나는 그저 한숨 과 함께 미간을 문지르면서 현장으로 향했다. 현장으로 가느냐 긴장이 되는 것도 있지만 아침에 엄마와 아빠의 반응이나를 불안하게 만든다. 웬일로 나보다 더 주무시더니 늦게일어나라고 말하려고 말하는 순간 아침에 갑자기 일어나서둘 다 식은땀을 흘리면서 깨어난 엄마와 아빠의 모습이 떠나지 않는다.

거기다가 그 둘은 악몽이라도 꾼지 눈물과 땀 투성이였다. 제기랄.. 일만 아니였으면 그냥 오는게 아니였는데..그런 그둘을 놓고 온 것이 마음에 걸린다. 하지만 나는 고개를 세차게 저어서 엄마와 아빠에 대한 생각을 하지 않으려고 노력했다. 개인적인 일이 이번 사건에 영향을 미치면 안 되기 때문이다.

꽤 오랫동안 달려서 온 곳은 오래된 아파트였다. 어찌나 허름하고 오래된 아파트였는지 금방이라도 무너질것 같았다. 벽 곳곳은 칠이 벗겨졌으며 현관문에는 빨강색 이주 안내 스티커가 안붙어져 있는 집이 없었다. 나와 팀장님은 분위기마자 은산한 아파트의 계단을 올라 1층으로 갔다. 그리고 문제의 101호 앞에서 문을 두들겼다.

"계십니까?"

"누구세요?"

시끄러운 음악 소리와 함께 젊은 남자의 목소리가 들렸다. 팀장님은 능청스럽게 말했다.

"102동 사는 사람인데요. 음악 소리가 너무 커서요."

하여튼 팀장님 거짓말도 잘하신다. 곧이어 음악 소리가 끊어지고 현관문이 열렸다. 문이 열리기가 무섭게 우리는 안으로 치고들어가서 현장을 적발했다. 집 안 곳 곳에는 휴대전화와 통장그리고 돈 다발만이 가득했다. 이대로 잡으면 좋을텐데.. 현실은 전혀 그러지 않았다.

안에 있던 남자 3명이 앞뒤 안 가리고 우리한테 달려들었다. 덕분에 2명이면 꽉 차는 아파트가 틈도 없이 꽉 찬 곳에서 육탄전이 일어났다. 하필이면 쪽수도 안 맞아서 애를 먹었다. 제기랄..은시현이라도 있었으면 좋았을텐데..몇 일전 과잉진압으로 30일 정직 처분만 받지 않았어도.. 아무튼 일단 밖으로 도주하지 못하도록 나는 현관문을 잠궜는데 남자 한 명이 내가 현관문을 잠구는 틈을 타 베란다 창문으로 몸을 던졌다.

106

"저 미친…"

망설일 내가 아니었다. 나는 팀장님이 내 이름을 부르기 도전에 내 몸을 던져 그 남자를 따라 뛰어내렸다. 다행히도 아파트 1층이라서 그런지 생각보다 높지 않았다. 팔꿈치와 무릎이 약간 다치고 발목을 살짝 삐기는 했지만 이 정도면 그동안 다쳐왔던 것에 비하면 세발의 피라서 별 신경 쓸 이유가 없었다.

"야 이 개새끼야!"

나는 그 남자를 찾기 위해 미친듯이 아파트를 뒤졌다. 하지만 남자는 교활한 쥐새끼처럼 계속 도망쳤고 오래된 폐가 안으로 몸을 숨겼다. 폐가는 어둡고 조용했다. 내 입안에 침이 말라서 입이 거칠고 까끌까끌하다. 바닥에 널려 있는 나무판자를 조용히 지나서 어딘가에 숨어있는 남자를 찾아야한다. 반드시 말이다. 눈 앞에서 범인을 놓치는 허무함과 상실감을 다시는 경험하고 싶지 않다.

1층을 다 둘러 보고 뼈대만 남은 계단을 다시 건너 2층 옥상으로 향했다. 삐걱거리는 소리가 들리지 않게 매우 조심스럽게 나는 이동하려고 했지만 쉽지가 않다. 옥상에 도착해 모든 소리에 귀를 집중하자 핸드폰 진동이 울렸다. 씨발.. 나는 속으로 욕설을 내뱉으면서 휴대폰에 온 전화를 받았다.

"씨발. 진짜 여보세요?"

"김지은! 너 어디야?"

107

때마침 바닥에 찍힌 발자국이 눈에 들어왔다. 나는 황급히 전화를 끊고 그 남자를 다시 추적하려고 했다.

"저 지금 추적중이니까 나중에 전화 할게요."

"여기 정리 끝났어. 어디인지 말해."

팀장님이 명령조로 말했다. 결국에는 나는 앓는 소리를 내면서 말했다.

"지금 여기가..."

그때 뒤에서 발소리가 들려왔다. 서서히 다가온 그 발소리는 순식간에 내 뒤로 돌진했다. 그리고 그 다음 순간 나는 아무리 많이 쳐도 20살 정도의 남자한테 공격당했다. 각목으로 머리를정통으로 맞아서 그런지 눈앞이 흐려지고 속이 역겨워서 토할것 같다.

몸이 저절러로 휘청거리더니 일어나려고 해도 일어날수가 없다. 경찰 생활 몇년 정도 했는데 이 정도로 쓰러건 이번이 처음이었다. 다행인지 불행인지는 모르겠지만 아까전에 나를 때린 남자의 폼이 워낙 어색해서 그래도 죽지 않은게 유일한 위안거리였다. 그렇다고 해서 멀쩡하게 회복될수 있을지는 모르겠다. 나는 범인이 달아나는 와중에도 차가운 시멘트 바닥에 누어서일어나지를 못했다. 내 의지와 상관없이 정신이 흐려졌다. 어떻게든지 몸을 일르켜 세우려고 했지만 결국 실패했다. 씨발.. 존나게 아프다.. 나는 머리카락 사이로 흐르는 피를 느끼면서 숨을 간신히 쉬었다. 통증이고 나발이고 의식이 사라지는 것이 정말 두려웠다. 몸을 비틀어 하늘을 보니 난대 없이 진눈깨비 같은 눈이 내리고 있었다.

108

안소영 24화

"형사면 많이 다치겠네."

비도 눈도 무엇도 아닌 것을 맞으면서 의식이 서서히 감기는사이에 예전에 엄마와 아빠가 한 말이 떠오른다. 몸이 덜덜떨리는 와중에도 헛 웃음이 나온다.

그래 엄마 아빠 때문에 많이 다치기는 하지.

내 말에 피식 웃던 엄마와 아빠 얼굴이 떠올라서 웃음이 나온다. 죽음을 앞둔 순간 내 머릿속에 떠오르는 사람이 엄마와 아빠라서 다행이다.

바람이 더 거세게 불었다. 눈이 감기면 안 되는데 눈이 감긴다. 나는 결국 두 눈을 감고 깊은 잠에 빠져든다. 생각해보니 3년전 그 밤에도 진눈깨비 같은 눈이 내렸지.

새벽 1시가 다 되어서 집에 도착했다. 형사가 된 이후에 밤늦게 퇴근하는건 적응이 되었는데 그래도 몸이 피곤하다. 거의 한달 넘게 이러니까 완전히 죽을 맛이다. 늦게 퇴근한것도 서러운데 아까전부터 진눈깨비가 거친 눈으로 바뀌어서내리기 시작했다. 그 차갑고 거친 눈을 맞으니 몸이 얼어붙는것 같았다. 나는 추위에 몸을 동동 떨면서 아파트 키로 현관문을 열고 들어가려고 하려고 했다. 오늘은 집에 들어가자마자 잠이 들어야 겠다는 생각만 했다.

공동현관문에서 카드기를 열고 들어가려는 순간

갑자기 사람 형태의 모습이 보였다. 그 순간 갑자기 뒤편에 있었던 가로등이 꽉 하는 소리와 함께 켜졌다. 그 소리에 놀라 화단 쪽으로 몸을 숨겼다. 사람 비슷한 무언가가 나무 뒷쪽에 기대져 있는 것이 보였다. 저 검은색 그림자 저거 사람맞지? 때 마침 주머니 안에서 카드키의 감촉감이 느껴지는순간 차마 그 그림자를 무시할수는 없었다. 씨발.. 이것도 망할 놈의 직업의식이라면 직업의식이겠지. 나는 두려움을 딛고 한 자국 한 자국 저 검은색 그림자로 나아갔다.

그림자로 나아가는 그 짧은 시간에도 여러가지 생각이 교차했다. 미친놈이면 어떻하지? 나 죽는거 아니야? 같은 생각과 사람을 살려야 한다는 생각이 공존했다.

짧은 파란색 머리카락의 여자와 짧은 주황색 머리카락의 그녀. 우리 엄마와 아빠이다. 그 둘의 옷에서는 다섯 걸음 사이에도 맡을수 있을 정도로 술 냄새가 진동을 했다. 그것도 모자라 엄마 아빠가 입고 있었던 옷은 전부다 피투성이였다. 검은색 생로랑 정장이라서 잘 구분되지는 않지만 질감이나 감촉으로 봐서는 피였다. 잔뜩 엉켜져있는 피를 보면서 오만가지 생각이 다 들었다. 그러나 엄마와 아빠한테 그 감정의 동요를 들키지 않기 위해 최대한 태연한 표정을 지었다.

"엄마 아빠 괜찮아?"

지독한 술 냄새를 참아가면서 나는 엄마와 아빠를 불렀다. 그러나 엄마와 아빠가 고개를 들었다. 내가 자식이지만 꽤나 곱상하게 생긴 얼굴들이다.짧은 파란색 머리카락의 엄마와 짧은 주황색 머리카락에 꾸덕한 피가 잔뜩 묻어있다. 진한 피냄새가 술 냄새와 섞여서 진동을 한다. 안 들킨게 다행이다. 나는 안도의 한숨을 내쉬었다.

"이런 곳에서 자면 죽어."

나는 엄마 아빠한테 말했다. 제기랄.. 술에 취했는지 엄마 아빠는 내 말에 답변도 하지 않았다. 슬슬 초조해지기 시작했다. 이러다가 들키기라도 한다면 꽤나 큰 문제가 될텐데.. 결국 나는 엄마 아빠를 겨우 겨우 데리고 집 안으로 들어갔다. 온통 흙투성이와 피투성이인 엄마 아빠를 억지로 씻게하고 갈아입을 옷과 주전자에 있는 보리차를 주었다. 엄마 아빠는 그 보리차를 마시고 피곤한지 머리카락이 채 마르기도 전에 내 침대에서 잠들었다.

"이럴때는 꽤나 귀엽다니까.."

나는 혼자서 잠든 엄마와 아빠를 보면서 중얼거렸다. 엄마와 아빠가 잠든 사이 나는 엄마와 아빠가 입고 있던 생로랑 정장을 살펴보기 시작했다. 어찌나 더럽던지 내가 손 댔다가는 본전도 못 찾을것 같았다. 대충 접어서 쇼핑백에 넣어 놓으려고하는데 전화기에서 전화벨 소리가 들렸다. 아빠의 전화기를 보고 싶지는 않았지만 어쩔수가 없었다. "타케시 레몬" 이라는사람한테서 문자와 전화가 수십통이나 와있었다. 나도 알고 아빠도 엄마도 아는 사람이고 어떤 인간인지도 잘 알고 있기에 그냥 그 전화기를 부엌 책상 위에 올려놓았다.

어차피내가 해결할수도 없는 문제니까 말이다. 일단 안 쓰는 쇼핑백에 엄마와 아빠의 검은색 생로랑 정장을 넣어두었다. 대충 정리를 끝낸 나는 보라색 거실 쇼파에서 잠자리를 청했다. 생각해보니 엄마와 아빠랑 같이 집에 있는건 오랫만이라서 꽤나 두근두근거렸다. 동시에 슬프기도 했다. 이렇게 만나지 않았더라면 좋았을텐데.. 라는 생각도 들었다. 기쁨과 슬픔이 교차하는 감정으로 나는 눈을 질끈 감았다. 곧 이어 나는 고요한 암흑의 세계 로 빠져들었다.

무슨 꿈을 꾸었을까? 기억조차 나지 않았던 밤이 지나가고 현관문이 닫치는 소리에 잠에서 깼다. 늦잠을 잔 게 아닌가 놀라서 잠에서 깨어나보니 겨우 6시였다. 나는 짧은 머리를 긁은 다음에 내 방으로 가보았다. 곱게 갠 이불과 엄마와 아빠가 입었던 잠옷이 책상 위에 올려져있었다. 쇼핑백에 담아놓았던 정장과 부엌 책상위에 올려진 전화기는 온데간데 없이 사라졌다. 약간의 안도감과 아쉬움이 공존했다. 그리고 물을 마시려고 하는데 탁자 위에 적혀진 쪽지를 발견했다. 거친 글씨체로 휘갈겨진체 공책 한 쪽을 찢어서 적은 쪽지였다.

−고마웠어. 다음에 만나자.−

−사랑하는 엄마 아빠가−

그 짧은 글을 보면서 얼마나 눈물을 흘렸는지 얼마나 기뻤는지 모르겠다. 결코 잊지 못할 기억이 될 것 같다. 나는 다음에 만나자는 말을 가슴에 기억하면서 그 쪽지를 벽에 테이프로 붙쳐놓았다.

눈을 떴다. 정신을 차려보니 응급실이였다. 죽은 줄 알았는데 생각보다 내 목숨은 질기다는 것만 알게 되었다. 나는 기절한그 사이에 꾸었던 잊을수 없었던 기억들에 주마등처럼 지나간 것을 떠올리면서 손바닥으로 내 얼굴을 묻었다. 엄마 아빠를 처음 만났던 기억을 결코 잊지 않으리라. 그 마음가짐으로 말이다.

그 날이 있고 몇일 뒤

엄마 아빠는 경찰서로 찾아왔다.

112

정말 우연이였다. 그녀들은 조직폭력배였고 조폭이 경찰서에 오는 일은 잦았으니까. 서에서 나와 눈이 마주친 엄마 아빠는 노골적으로 나한테 다가왔다. 나는 단순히 아빠와 엄마라는 이유로 그들을 밀어낼수가 없었고 정신을 차려보니까 이미 정은 정대로 다 들어서 밀쳐낼수가 없다.

차라리 그날 그들을 못 본 척 했더라면, 그랬으면 어떻게 되었을까? 그렇더라면 이렇게 죄책감에 시달리지는 않았을텐테.. 어차피 과거를 바꿀수 없다는건 알지만 그런 생각들이 계속 머리에서 맴돈다. 차라리 이런 관계가 아닌 같은 범죄자의 관계였으면 더 편했을텐테.. 아니면 애당초부터 그냥 만나지 않았더라면 그렇더라면.. 아예 모른 척 했더라면..우리는 서로의 불행이 되지 않았을텐데.

울렁거리는 머리를 겨우 진정시켜서 자리에서 일어난다.

문뜩 엄마와 아빠가 같이 있어줬으면 좋겠다는 생각이 들었다. 아픈 내 곁을 지켜주고 걱정스러운 눈빛으로 나를 봐줬으면 좋겠다. 서로의 상처를 걱정해주고 따뜻하게 살 자격조차도 없는 년들인것을 알면서도 그랬다.

한숨과 함께 두 눈을 감아버렸다.

처음 만난 그날, 내 집 거실에 누어있던 엄마와 아빠를 기억하는데 그 얼굴도 그 순간도 기억한다. 그 날 내가 어떤 옷을 엄마 아빠한테 빌려줬는지도 기억하는데, 어찌 헤어질수 있을까?

113

안소영 25화

온 몸이 멍투성이이다. 나는 옥상에 서서 뻐근한 어깨를 주물렀다. 처음보다는 많이 나아졌지만 여전히 어질어질 하고 근육통이 심했다. 그래도 내일 당장 퇴원할 작정이 였다. 조금 더 병원에 있다가는 입맛이 떨어질것 같아서 이다. 아픈건 두째치고 병원에만 4일 동안 있으니까 몸이 심심하다. 내 뒷통수 친 놈은아직도 안 잡혔고 몸 컨디션 은 완전히 최악이다. 그것도 모자라 병원 밥까지 맛이 없 으니 미칠 지경이다.

입원한 동안 엄마와 아빠는 차례대로 전화를 해왔다. 평 소 같으면 한달이나 두달 동안 일 때문에 전화를 못 받을 텐데 이상하다. 도대체 왜 그러는지 알수가 없다. 무슨 일 이 있는 것 같아서 받으려고 해도 받을수가 없었다. 쓰러 질때 내 휴대전화가 완전히 박살이 나서 전화를 받을수가 없었다. 전화벨도 울리고 문자도 미친듯이 울렸지만 받을 수가 없었다. 그나마 은시현이 몇분전에 내 휴대폰을 수 리해 내 병실로 가져다줘서 다행히도 확인할수가 있었다.

나는 휴대폰을 받자마자 바로 엄마한테 전화를 걸었다. 지금 전화를 걸기에는 몸이피곤했지만 그동안 엄마와 아 빠를 걱정시켰기 때문에 망설이고 있을 시간은 없었다.곧 이어 전화음 소리가 끊어지고 엄마가 전화를 받았다.

"여보세요? 엄마?"

"왜 전화를 안 받아? 사람 걱정하게?"

"미안해. 엄마 나 지금 병원이야."

"뭐? 어디?"

엄마가 놀란 목소리로 말했다. 그 걱정되는 목소리를 듣고있으니 묘하게 기분이 좋아졌다. 나는 옥상 난간에 팔을 건체로 웃으면서 말했다. 마치 사랑을 처음 안 아이처럼 오랫만에 해맑게 웃어본다.

"어느 병원이야?"

"뭐?"

"잘 안 들리니? 어느 병원이냐고?"

"여기. 녹색병원."

"기다려. 아빠랑 같이 갈테니까."

그리고 엄마는 전화를 끊어버렸다. 바쁜데 이렇게 시간을 내서 와주려고 전화를 급하게 끊었다는 생각이 드니 그 생각만으로도 마음이 따뜻해진다. 그나저나 병실 호수도 모르는데 어떻게 찾아오려나.. 조금 걱정이 되는 마음이 들었다.나는 약간의 미소를 지으면서 휴대전화를 환자복 바지 주머니에 넣었다.

옥상이라서 그런지 바람이 많이 차가웠다. 입고있던 회색 리 가디건을 여몄지만 추위는 사라지지 않는다. 나는 한참동안 찬바람을 맞으면서 새벽공기를 마셨다. 그래도 오늘은기분이 좋다. 오랫만에 엄마와 아빠를 만나니까 말이다. 자주 만나서 더 이야기 할수 있는 기회가 있었으면 좋겠다고 생각했는데..

그럴 기회가 많이 없다는 것이 아쉽다.

한 30분 정도 지났을 무렵 슬슬 추워지기도 하고 이대로 가다가는 감기가 걸릴것 같아서 이만 병실로 들어가려고 했다. 아니나 다를까.. 비상계단을 통해서 로비로 가자마자 보였던건 엄마와 아빠가 과일 바구니를 들고 손을 흔들고 있는 장면이였다.그 모습이 마치 친구 같기도 부모와 자식이라는 생각이 들어서 미소가 절로 나왔다.

"왔어? 엄마 아빠?"

나는 엄마 아빠를 껴안으면서 귓속말로 말했다.

"아시는 분이에요?"

내가 엄마 아빠를 껴안는 모습을 보고 간호사가 나한테 물었다.

"네. 친구에요."

나는 웃으면서 간호사한테 이야기했다.

"잘 지냈어? 엄마? 아빠?"

병실 문을 닫고 나서 나는 엄마 아빠를 다시 꽉 껴안으면서 말했다. 엄마 아빠의 품은 따뜻했고 이대로 시간이 멈췄더라면 좋겠다는 생각을 했다.물론 그런 기적은 없겠지만 나도 엄마도 아빠도 한 마음으로 그런 기적이 생기기를 바라고 또 바라고 있다.

어떤 대가를 치뤄서라도 다시 가족이 같이 하는 그런 기적 말이다.

116

"우리 괜찮은걸까? 엄마 아빠?"

예전부터 묻고 싶었던 질문이었다. 이제와서 이런 말을 한다는것도 어차피 이래봤자 현실은 평생 시궁창에서 찌꺼기처럼 살다가 죽거나 감옥에서 생을 마감해야 하는 하루살이 인생인것도 너무나도 잘 알지만 나는 떨리는 마음으로 엄마 아빠의 대답을 기다렸다. 엄마 아빠는 아무 말도 없이 그저 입을 다물고만있었다.

"사실 괜찮지 않다는 것도 우리가 무언가를 할수 없다는 것도잘 알아. 그래서 최대한 참아보려고 했어. 엄마 아빠. 근데 시간이 계속 지나도 무언가가 나아지지 않는 것 같아. 그게 기정사실로 되는 것이 두려워."

여전히 엄마 아빠는 대답이 없다. 그 모습에 괜히 울컥하고 말았다. 엄마 아빠를 맨 처음 만났던 그 기억이 떠올랐다. 어떻게 해야할지 무엇을 해야할지 잘 모르겠다라고 벤치에 누어서 죽음만을 기다리던 나를 구해준건 지금 내 앞에 서 있는 엄마와 아빠이다. 그래서 더 울컥하다. 같이 살지도 못하는 것도 엄마 아빠가 범죄자라는것도 그리고 내가 능력이 없어서 엄마 아빠를 이 시궁창 같은 삶에서 빼올수 없다는 것도 모든 것이 거지같다.

"차라리.. 차라리.. 그때 벤치에서 만나지만 않았더라면.."

내 얼굴에서 눈물이 떨어진다. 아무리 참으려고 해도 아무리 이성적인 척 해도 눈물이 멈추지 않는다. 저번에 꾼 꿈이 너무나도 생생하게 기억이 나서 더 그렇다. 어차피 엄마 아빠가 내 질문에 대답은 못할것을 알지만 그래도 어떻게서든지 무슨 말이라도 해주기를 바라고 또 바라는 마음으로 미친듯이 울었다.

117

그러나 엄마와 아빠는 대답하지 않았다. 이해한다.

내가 바라는 답도 내가 바라는 평범한 일상을 이룰 수 있는다는 대답을 못해주니까 그래서 나를 실망시키고 싶지 않아서 대답하지 않는 것도 다 안다. 우리들이 꿈꾸는 것은 한낮의 밤에 불과한 말도 안 되는 이야기니까. 그저 침묵만이 흐를 뿐이였다.

"어쩌면 우리들한테 평범한 일상은 그저 한낮의 밤처럼 무의미했나봐. 차라리 처음 그때 내가 그 추운 겨울 날 죽었더라면 이런 감정도 이런 일도 없었겠지."

나는 침묵을 깨고 침대 위에 앉아서 한숨을 쉬면서 말했다.

"정말 나를 사랑하는게 맞아?"

그 한숨 뒤에 나는 가시 박힌 말을 내뱉었다. 내 말이 끝나기도 전에 아빠는 목소리를 높혔다.

"내가 너를 어떻게 생각하는 줄 알고 그런 말을 해?"

"그럼 말을 해. 아빠. 내 질문에."

118

그 물음에 왈칵한 나는 소리를 질렀다. 언제나 우리 관계는 그런 식이다. 서로 충돌이 두려워서 충돌지점을 아슬아슬하게 피하다가 직설적으로 말하는거. 차라리 우리가 서로를 사랑하지 않는 관계였으면 좋았을텐데. 근데 우리는 서로를 너무나도 사랑한다. 그래서 서로가 상처 입는 것이 두려워서정작 꺼내야 할 이야기를 못 꺼내고 오늘 고름이 터지고 말았다. 만약 내가 기적을 바라고 평범한 삶을 바라지 않고 지금 같이 사는 것에 만족했더라면 이런 일은 없었을 것이다.그러나 나도 아빠도 엄마도 기적을 바라고 평범한 삶을 마음속 깊이 바라지만 현실의 풍파에 치여서 이렇게 된 것이다. 나는 잠시 침묵한 다음에 또 다시 한숨을 내쉬었다.

내 물음에 아빠는 쉽게 대답하지 못했다. 이렇게 감정 낭비하는건 서로한테 해가 되서 엄마 아빠한테 다시 돌아가라고 말하려는 순간 엄마가 입을 열었다.

"너한테 이야기 안 했지만 조직에서 나간 사람이 있어."

갑작스러운 이야기에 조금 당황했지만 엄마의 진지한 목소리에 그저 듣기만 했다.

"그 사람은 가까스로 도망치기는 했는데, 우리가 그러면 반드시 죽을거야. 난 그리고 싶지가 않아. 죽고 싶지가 않다고.그리고 도망친다고 해도 타케시 레몬은 우리를 찾아낼거야."

엄마가 무슨 이야기를 할지 예측이 안 될때 무렵 그녀는 충격적인 이야기를 꺼냈다.

119

"타케시 레몬을 죽일거야."

처음에는 농담인줄 알았다. 하지만 엄마의 진지한 표정을 보니 이제 실감이 난다.

"누구를 죽여?"

"내 보스. 더 높이 올라가서 레몬 그룹을 없앨 거고."

솔직히 당황스러웠다. 엄마가 그리고 아빠가 뭘 바라고 이런 위험한 선택을 한 것인지 물을수가 없었다. 내가 계속 영문을 알수 없는 표정을 지으니 엄마는 답답한지 짧은 파란색 머리카락을 쓸어 넘겼다.

"우리가 왜 그런 선택을 했는 줄 모르겠어?"

"무슨 말을.. 엄마.."

무슨 말을 하냐고 물어야 하는데 아무 말도 나오지 않는다. 엄마와 아빠는 침대 위에 나를 눕히고 그 위에 올라탔다. 당황한 나머지 엄마는 내 손목을 잡고 강하게 눌렀다.

"김지은 너, 너 때문이라고. 항상 너 때문이였어. 너 때문에 조직 일을 망치고 목숨까지 걸었어. 지금도 너 때문에 이 선택을한거야."

순간 심장이 덜컹 주저앉았다. 엄마와 아빠의 표정이 괴로움으 로 일그러졌다.

120

"이래도 모르겠어? 나는.. 나는.."

엄마가 입술을 꼭 깨물고 중얼거렸다. 처음 보는 모습에 눈물이 났다. 그제서야 엄마의 마음이 내 마음 속에 와닿았다.

나 또한 그녀들한테 엄마 아빠한테 누군가의 마음이 될수 있다는 생각에 내 눈에서 눈물이 흘렀다.

모두가 사랑하는 순간 그 순간이 너무나도 위험해져서 그냥 담고 있었구나.

무언가 심장을 관통하는 것처럼 아팠다. 나는 아무 말 없이 엄마의 목을 끌어안았다. 뒷 말은 안 들어봐도 알것 같다.지금 당장은 엄마 아빠의 체온을 느끼고 싶다. 이런 내 마음을 엄마 아빠도 알았는지 별 말 없이 나를 품에 안았다.

"근데 너..."

엄마가 나를 안으면서 말했다.

"응? 엄마?"

나는 궁금한 목소리로 물었다.

"꽤 용감하네. 우리 지은이."

엄마의 말에 긴장이 풀린 나는 크게 웃었다.

121

"그건 그렇지."

엄마는 웃으면서 나한테 말했고 부드럽게 입을 맞췄다. 동시의엄마의 손이 내 옷 안으로 들어가는 것이 느껴졌다. 그 느낌에 깜짝 놀라서 엄마를 밀쳐냈다.

"뭐해? 여기 병원이야."

내 만류에도 불과하고 엄마는 옷을 벗으면서 말했다.

"안 들키면 그만이지."

아빠는 웃으면서 나한테 귓속말로 속삭였다.

"언제나 항상 이런 식이더라."

나는 웃으면서 말했다.

엄마와 아빠의 손길이 내 몸 구석구석에 닿는것이 느껴졌다. 엄마 아빠만이 줄수 있는 만족감이 몸 구석구석으로 퍼져나갔다.

나는 한 없이 부드럽고 따뜻한 감정으로 엄마와 아빠를 안았다.그나저나 엄마와 아빠가 어떤 생각을 가지고 있는지 잘 알겠는데 그것과 별개로 엄마와 아빠가 타케시 레몬을 죽인다면 우리 는 어떤 운명을 맞게 될까?

진정으로 자유로워질수 있을까?

혹시 엄마 아빠가 죽게 된다면 나는 어떻게 살아가야 할까? 같은 생각들이 가득했다.

122

불안감에 눈물이 나오려고 했다. 관계를 하는 동안 내 표정이 점점 굳어지자 엄마는 나한테 물었다.

"왜 그래? 아파? 지은아?"

"아니.. 아니야.. 엄마.."

내가 말을 더듬자 엄마는 부드럽게 한숨을 쉬었다.

"말 해."

"그냥.. 엄마 아빠가 죽을까봐 두려워서.."

그 말에 엄마와 아빠는 웃음을 터트렸다. 그 앳된 미소에 가슴이 애리다.

"별걸 다 걱정하네. 김지은. 우린 절대 안 죽어. 걱정하지마.

"정말?"

"응. 약속해. 그러니까 이제 허리나 올려."

말을 마친 엄마는 아빠랑 같이 나한테 달려들었다. 엄마와 아빠를 절대 놓치지 않겠다는 마음으로 내 모든 걸 엄마 아빠한테 맡겼다. 숨결 하나, 눈빛 하나, 전부 놓치지 않고 말이다. 우리는 지금 이 순간이 행복했고 서로가 자랑스러운 그런 순간들을 보냈다.

123

한참이 지나고 나서 엄마와 아빠 그리고 나는 만족스러운 감정으로 침대에 누었다. 나는 숨을 고르며 엄마의 짧은 파란색 머리카락을 만졌다. 그 느낌이 좋아서 나는 금새 눈을 감고 잠들었다.

앞으로 우리한테 닥칠 미래는 어떤 미래인걸까? 과분한 바람이기는 하지만 이왕 이렇게 된 거 해피엔딩이였으면 좋겠다는 생각이 들었다. 아직 시간이 많이 남아있는 엄마 아빠가 조직에서벗어나서 새 삶을 살았으면 좋겠다.

그리고 가능하다면 엄마와

아빠가 내 삶속에 같이 있었으면 좋겠다.

이루어지지 않을 가능성이 높은 그 소망을 마음속으로 생각하면서 잠에서 깼다. 기대와 불안 사이에 감정에 서 있는 느낌들다. 나는 그저 그런 느낌들을 생각하지 않으려고 한다. 어차피 무의미한것들이니까.그날 아침 해는 생각보다 강렬했다.

안소영 26화

"야 운전 똑바로 안 하냐!"

조수석에 앉은 선배가 목에 핏대까지 세워가면서 신경질적으로말했다. 과속방지턱에서 속도를 줄이지 않고 운행한 것이 화근이였다. 그 잔소리에 화가 난 나는 혀를 몇번 더 차고 엑셀을 쎄게 밟았다.

"선배가 운전 하시던가요."

나는 통명스럽게 답했다.

124

내 퉁명스러운 말투에 선배는 목소리를 더 높혔다. 하지만 내 마음은 그의 투정을 받아줄 여유 따위는 없었다. 나는 연신 한숨을 쉬면서 운전대를 잡았다.

병원에서 엄마와 아빠를 만나고 못 만난지 벌써 3주가 흘렀다. 그날도 엄마와 아빠는 어김없이 쪽지 한 장만 남기고 도망쳤다. 평소라면 구구절절 글을 적었겠지만 쪽지의 요점은 이렇다. 언젠가 만나자. 이것뿐이었다. 그 쪽지를 읽자마자 하늘이 무너지는 느낌이 무엇인지 깨달았다. 혹시나 해서 전화를 걸어봤지만 없는 번호라고 뜰 뿐이었다.

엄마와 아빠는 번호를 바꾼 것도 모자라 더 한 일을 저질렀다. 내 머리통을 치고 도망간 보이스피싱 남자를 경찰서에 묶어서 가져다 논 것이었다. 이름도 성별도 어떻게 말 한 마디 안 했는데 이렇게 해놨는지 묻고 싶을 지경이다. 아무런 이유도 모른채 청테이프에 꽁꽁 묶여져 있는 남자를 보니 저절로 헛웃음이 나온다. 고마운 마음도 어떤 마음도 들지 않았다. 그저 다음 번에는 그러지 말라고 강하게 이야기해야겠 다는 생각이 들었다.

엄마와 아빠가 저지른 사고와 별개로 사실 난 엄마와 아빠의 생사를 모른다. 그래서 더욱더 지옥같고 더욱더 가슴이 애리다. 쪽지를 라이터에 태워버리고 새벽마다 엄마 아빠 생각만 하는 나의 마음을 알기나 할까? 일에 치어 살면 그나마 희망이라도 보일 것 같아서 한달 내내 야근을 했지만 나아지는건 없다. 심지어 지금 이 순간 레몬의 조직이 대량 총기와 마약을 밀수 한다는 첩보 때문에 출동하는데도 마음은 다른 곳에 가있다.

나는 괜히 초초한 마음에 신호에 멈출때마다 손톱을 물어 뜯었다. 초등학생때도 안하던 짓거리지만 이러지 않으면 어쩔수가 없다.

"괜찮냐?"

내 행동에 팀장님이 물었다. 하긴 그럴만 하다. 이번 사건 은 매우 중요하니까. 평소에는 금융재벌로 위장해 있지만 실상은 마약 밀매에 무기 밀매 모든 나쁜 짓에 연류되어 있다는 타케시 레몬이 오늘 특별히 거래 현장에 등장한다 는 소식이니까. 타케시레몬은 증거를 남기지 않고 움직이 는데 오늘은 특별히 무슨 일인지 거래 현장에 등장한다는 소식에 조직 전체가 그녀를 검거하려고 혈안이 되어있는 상황이니까. 오늘 반드시 타케시 레몬을 놓치면 안 됐다.

복잡한 마음을 한참동안 삼키고 무역항에 도착했을때 현 장에서는 긴장감이 느껴졌다. 사이렌을 켜고 들어갈수도 있었지만 타케시 레몬은 눈치가 빠르기 때문에 사이렌 따 위는 키지 않았다.그 대신 몇 명이 조를 짜서 들어가기로 했다. 강력반을 포함해서지원 온 부서들이 빠르게 움직였 다. 나와 팀장님은 진입을 위해마이크를 연결하고 아슬아 슬 하게 쌓인 컨테이너 사이를 지나갔다.

현장은 무역항답게 길이 매우 복잡했다. 여러가지 색깔들 로 형형색색인 컨테이너들 사이로 지나가니 마치 미로를 걷는 기분이였다. 우리는 긴장되는 마음을 안고 무전기 너머의 지시대로 컨테이너들 사이를 지나갔다. 모퉁이를 돌때 뭐가 나올지 모르는 두려움에 다리가 후들후들 떨렸 다. 타케시 레몬이라는 거물을 검거할 생각에 흥분이 되 기도 하지만 목숨을 잃고 엄마와 아빠까지 잃는다는 두려 움이 내 온 몸을 지배했다.

126

희미한 조명과 달빛에 의지해 걸은지 얼마 안 되서 밀매 현장에도착했다. 딱 봐도 조폭인것 같은 놈들이 정장을 빼 입고 컨테이너 앞에 모여서 거래를 진행하고 있다. 총기와 마약을 사려고보이는 중년 남자가 이것저것 살피더니 고개를 몇번 끄덕였다. 팀장님은 이 모습을 봐라보고 마이크에 대고 말했다.

"거래 진행중이니 3분 뒤에 진입해."

그 동안 나는 컨테이너 너머에 보이는 조폭들의 인상착의와 인원수를 하나도 놓치지 않고 파악했다. 그때 컨테이너 안에서 총기와 마약을 건내는 사람의 인상착의가 보였다. 주황색 머리카락의 여자와 밝은 파란색 머리카락의 여자 얼굴은 자세히 보지않았지만 아빠와 엄마이다. 설마 설마 아니겠지.

작전 돌입 1분전 엄마와 아빠가 컨테이너 밖으로 나왔다. 자동차 헤드라이트를 받으면서 거래 상대인 중년의 남성과 악수를하고 있는 모습이 보였다. 이제는 어쩔수 없다. 체포 당하지 않기를 기도할수 밖에.

"돌입합니다."

무전기 너머로 돌입 신호가 들렸다. 당황한 나머지 눈이 휘둥그래졌다.

"뭐?"

"돌입."

"잠깐만."

127

나의 다급한 외침은 경찰차 사이렌 소리에 묻치고 말았다. 사이렌이 울림과 동시에 거래를 하던 조직원들이 전부 우왕자왕했다. 그들은 상대가 경찰을 불렀다고 착각하고 서로 총을 겨누었다. 핏대 내세우면서 화내는 남자와 다르게 안소영과 강바다는돈을 챙겨 달아났다. 강바다의 손짓 한번에 조직원들이 둘로 나눠져 한 그룹은 강바다와 안소영을 보호하고 다른 한쪽은 상대 조직원과 맞섰다.나는 이 모습을 멍안히 지켜보다가 팀장님의 부름에 겨우 정신을 차렸다.

"아주 거하게 해 처먹었구만!"

지원이 오자 기세가 등등해진 팀장님이 소리를 치면서 말했다.연달아 오는 경찰에 조직원들은 겁을 먹고 도망쳤다. 나는 추격전과 육탄전이 벌어지는 와중에도 계속 엄마와 아빠를 쫓았다. 엄마와 아빠는 다른 조직원들과 도망치고 있었다. 익숙하지만익숙하지 않은 모습을 보고 있으니 정신이 멍해진다. 갑자기 팀장님이 나란테 소리를 쳤다.

"김지은!"

엄마와 아빠에 대한 일은 잠시 접어두고 나는 그 남자한테 수갑을 체웠다. 우선 이 남자부터 연행하려고 하는데 주위가 시끄러웠다. 팀장님이 잡은 조직 간부가 달아난것이다. 나는 직접 그조직 간부를 잡으러 어두운 컨테이너 사이로 다시 들어갔다. 어두운 컨테이너 사이에서 몸을 숨긴 그는 내가 다가오는것을 알고 더 빠른 속도로 어둠 속으로 사라졌다. 어찌나 빠르던지 잡기가 힘들 정도였다. 숨이 벅차오르고 헉헉 거리는 소리가 저절로 나왔다. 그래도 멈추지 않고 달렸는데 길이 워낙 복잡하고 어두워서 보이지 않았다. 나는 한숨을 쉬었다.

"제기랄.. 제기랄..."

거친 한숨을 내쉬는 사이 뒤 쪽에서 휴대전화 진동벨이 울렸다. 곧이어 욕을 내뱉고 전화를 끊는 남자의 목소리가 들렸다. 나는 그 틈을 놓치지 않고 소리가 나는 쪽으로 조심스럽게 향했다. 극도로 긴장한 나머지 아무런 생각이 들지 않고 당황스럽다. 마치 멍한 꿈 속을 걷는 것 같았다. 그리고 마침내 모퉁이를 돌자 남자는 그때를 놓치지 않고 나한테단검을 휘둘렀다. 씨발.. 존나게 아프잖아.. 날카로운 칼날이 내 몸을 스쳤다. 그나마 다행인건 복부에 칼을 맞지 않았다는 점이다. 나는 칼날을 손에 강하게 쥐었다. 불에 데인듯한 통증이 느껴졌지만 무시하고 그 남자의 칼을 빼앗았다.

그 남자는 당황한듯 검은색 베레타 92 권총을 나한테 겨누었다.

"움직이지 마!"

경찰한테 총을 겨누는 깡따구는 볼만하지만 흔들리는 눈동자와 흔들리는 손동작 총 한번 쏴보지도 못한 애송이같은남자아이한테 내가 겁낼 이유는 전혀 없다. 나는 헛웃음이나오는 것을 겨우 참고 말했다.

"야. 소년. 제대로 쏘지도 못할텐데 그냥 내려놓지?"

"내가 못 쏠 것 같아?"

"하여간 타케시 레몬도 이제 어설퍼졌구만 총도 못 쏘는..."

129

조용히 다가가서 그 소년을 제압할 생각이였다. 그때 등 뒤에 총 소리가 들렸다. 인생 살면서 이렇게 놀란 적은 처음이였다. 나도 놀라서 비명을 지를 뻔했으니까. 총성이 들리자 본능적으로 몸이 숙여졌다. 당연히 나한테 총을 쐈을것이라고 생각했는데 아니였다. 오히려 맞은 쪽은 내가 아닌 엄마였다. 다리 쪽에 총을 맞은 엄마는 비명을 지르고 있었다. 영문을 모르는 상황도 잠시 등 뒤에서 익숙한 목소리가 들렸다.

 "아 빗맞었네. 근데 뭐 어때?"

뒤를 돌아본 그 곳에 서 있는 사람은 은시현이였다. 그녀는 발터 PPK 권총을 뒷 주머니에 찔러 넣더니 약간 짜증난다는 표정으로 나하고 엄마한테 다가왔다. 단정한 검은색 랄프로렌 퍼플라벨 정장에 하얀색 퍼플라벨 드레스 셔츠에빨강색 퍼플라벨 넥타이까지 많이 바뀐 모습이였다.

 "오랫만이네요. 선배님. 머리는 어때요?"

그녀가 내 귀에 걸려 있는 이어마이크를 끄면서 물었다.

 "너가 왜 여기 있어?"

내 말에 은시현이 기가 막히다는 듯이 웃었다.

 "이년이나 저 파란색 머리 저년이나 상황 파악 못하는건 똑같구만."

130

은시현이 쓰러져 있는 엄마를 보면서 말했다. 그 다음에 그녀는 발터 PPK 권총에 소음기를 끼더니 엄마한테 성큼 성큼 다가간 다음에 그녀의 등에 총을 발사했다. 너무나도 갑작스러운 일이라서 놀라고 말았다.

"세상은 참 웃기는 곳이야. 이렇게 가까운 곳에 쥐새끼들이 숨어있을 줄은 누가 알았겠니?"

은시현은 낄낄거린 다음에 바닥에 침을 뱉고 강바다한테 말했다.

"이 년이.."

나는 아까전에 남자가 쥐었다가 떨어트린 칼로 은시현을 찌르려고 했지만 그녀는 그저 아무런 대꾸도 하지 않고 가볍게 피해버렸다. 은시현은 나의 공격을 피하자 마자 내 손에 쥐고 있던 칼을 빼앗은 다음에 웃으면서 말했다.

"제대로 쓰지도 못할거면서 지랄도 가지가지네."

은시현은 조롱 섞인 웃음으로 나를 쳐다보면서 말했다. 그런 다음에 그녀는 발터 PPK 총알을 재장전 하고 엄마를 쏴 죽인 다음에 옆에 신음소리를 내면서 누어있는 남자도 쏴죽였다.

"언니는 항상 그 주둥이가 문제에요. 말만 좀 예쁘게 했었어도 곱게 데리고 갔을텐데 항상 이런 식으로 일을 키우잖아요."

131

그 말을 듣는 순간 물증이 확신으로 바뀌었다. 나는 입에서 침을 뱉은 다음에 대꾸했다.

"타케시 레몬이 시켰냐?"

"네."

"무슨 조건으로?"

"더 나은 자리를 준다는 조건으로요."

순간 웃음이 터졌다. 겨우 이런 이유 때문에 사람을 죽여?

그게 뭐라고?

"그래. 못 알아차린 내가 등신이지."

어차피 각오한거니 이제는 미련이 없다. 가서 죽을 각오로 타케시 레몬을 죽이고 모든 것을 끝맺을 작정이었다. 엄마의 죽음은 충격적이기는 하나 어차피 복수를 하고 따라갈거니 이 정도면 됐다. 나는 아빠한테 전화를 걸 작정으로 콘크리트 땅 바닥에 떨어져 있는 휴대전화를 주웠다. 하지만 은시현은 내가 입을 열기도 전에 어이가 없다는 표정을짓었고 곧 이어 둔탁한 무언가가 내 머리를 쳤다. 어마어마한 통증과 함께 머리가 깨지는 느낌이었다.

"미안. 김지은. 타케시 레몬이 너 숨만 붙은체로 데리고 오라고 해서."

"너.. 무슨 속셈이야?"

132

"음.. 아직 말하기는 그렇고 자고 일어나면 알게 될거야."

말이 끝나기가 무섭게 은시현의 부하가 소매로 입을 가린 체 내 얼굴의 의문의 스프레이를 뿌렸다. 왠만하면 버텨보려고 했는데 그럴수가 없었다.

나는 묵직해진 머리를 가누지 못해 결국 쓰러지고 말았다. 정신이 점차 흐려지는 와중에 은시현의 목소리가 들려왔다. 중간 중간 끊어서 들렸지만 무언가 다른 계획이 있는듯했다. 그 계획이뭔지 자세히 들어보려고 나는 다가갔지만 은시현은 내 꼴이 우스운지 웃음을 터트렸다. 나를 내려다 보면서 비웃는 은시현의 그 모습이 상당히 구역질 나고 역겨웠다.

"뭐야. 그렇게나 자칭 엄마 아빠라고 부르는 사람들이 그리웠어? 신기하기는 하네.."

너가 조롱할 정도로 추락한 사람들이 아니야.

은시현이 내 머리채를 움켜진체 스프레이를 한번 더 뿌렸다. 이건 더 못 버틴다. 나는 앞으로 고꾸라졌다. 의식이 점점 흐려졌다.

최대한 버텨보려고 했지만 소용없었다.

그렇게 나는 엄마를 떠나보내고 정신을 완전히 놔버렸다.

안소영 27화

이렇게 만나게 될 줄은 몰랐다는 생각밖에 들지 않는다.

내가 구해주고 집에까지 데려왔던 엄마 아빠가 다시 만나게 될 것이라는 희망조차 품고 있지 않았는데 이렇게 경찰서에서 만나게 될 것이라고는 상상도 못했으니까. 엄마와 아빠는 경찰서에서 나를 만나자 아는 척을 했다. 그날 덕분에 잘 들어갔다는 둥 다음에는 밥 한끼라도 먹자는 둥 쓸데없는 소리를 해서 나를 곤란하게 만들었다. 그래도 다시는 못만날것 같다고 생각한 엄마 아빠를 만나서 즐겁다. 나는 설래는 마음을잠시 달아두고 퇴근하자마자 근처 술집에서 하루의 피로를 풀겸 술을 마시고 있었다.

평소처럼 구석에 앉아서 소주와 마른안주를 먹고 있을때였다. 난대없이 술집 분위기가 요란해지더니 익숙한 목소리가들렸다. 엄마와 아빠이다. 동경하고 또 동경하던 엄마와 아빠를 보고 나는 깜짝 놀라서 입에 머금고 있던 소주를 잔에 도로 뱉어버렸다.

"안녕? 김지은?"

세상 쾌활하고 긍정적인 목소리로 엄마는 나를 불렀다. 아빠는 능청스럽게 내가 앉아있는 테이블 옆에 검은색 생로랑 코트를 걸어 놓은 다음에 자리에 앉았다.

"오랫만에 만났는데 또 만나네."

우연은 무슨, 딱 봐도 내가 여기 있다는걸 알고 여기까지 온 것이 티가 나지만 오늘은 모든 것이 좋다. 나는 무엇이 좋다고 순진하게 웃는 얼굴로 종업원한테 소주잔을 받아서 엄마와 아빠의 잔에 따라주었다.

134

"잘 지냈어? 지은아?"

아빠는 웃는 얼굴로 나한테 말을 걸었다. 조폭하고 같이 이야기를 나누는것도 모자라 부모 두명이 레즈비언이라는 것이 누군가가 보기에는 어이없다 못해 비난의 대상이 될 걸 알지만 그런것 따위는 신경쓰고 싶지 않다.

"잘 지냈어. 아빠는?"

"나야 잘 지내지."

영어 회화문 같은 대화가 이어지고 나서 나는 괜히 어색해서 안주를 뒤적이고 있었다. 사랑하는 엄마와 아빠를 만났는데 그것도 다시 만날 가능성조차 낮은데 이렇게 어색하게 시간을 보내는 것이 옳은가? 같은 생각이 들 무렵 엄마는 나한테 말을 걸었다.

"많이 말랐네. 혼자 살아서 그런가봐. 지은아."

"하긴 혼자 살면 잘 안 먹게 되더라고."

나는 웃으면서 엄마한테 말했다.

"그래도 잘 먹어. 몸 조심하고."

135

나는 소주를 들이키면서 엄마의 말을 들었다. 소주를 들이키면서 엄마와 아빠의 얼굴을 하나하나 뜯어보았다. 처음 만났을때부터 느낀거지만 참 교활할 정도로 잘 생겼다. 얼굴을 보고 있자니 술 기운때문인지 아니면 사랑에 빠졌는지 모르겠지만 갑자기 심장이 뛰었고 마음이 두근거렸다. 내가 왜 그러지? 라는 마음을 감추기 위해서 재빨리 던힐 담배를 입에 물었다. 원래 흡연자인걸 알기 때문에아빠하고 엄마한테 권하려고 했는데 엄마는 담배에 불을붙치자 마자 엄마는 기침을 했다.

"괜찮아?"

"지은아. 담배 좀 꺼줄래?"

예전에는 같이 엄마랑 베란다에서 담배를 같이 폈는데 지금은 담배를 끊은 모양인것 같았다. 나는 의외라고 반응을보인 다음에 얼마 빨지 못한 던힐 담배를 잿덜이에 비벼서 끄고 소주를 마저 마셨다. 우리 셋 다 전부 다 취해갈 무렵 엄마가 갑자기 잔뜩 눈이 풀린 채로 나한테 말했다.

"그런데 너 진짜 매력적이다."

"많이 취했네. 엄마."

"아닌데."

분위기며 눈빛이며 확실히 그냥 가고 싶은 생각은 없었나보다. 나는 대놓고 떠 보기로 했다.

136

"엄마 아빠 원하는게 뭐야?"

"응?"

엄마 아빠가 아무것도 모르는 듯 나한테 물었다. 하지만 얄팍한 수 따위는 나한테 통하지 않는다.

"하룻밤 가지고 놀려고 찾아왔으면 잘못 찾아왔어. 엄마 아빠."

내 말에 엄마 아빠가 웃음을 터트렸다. 어찌나 호탕하게 웃더니 어이가 없을 지경이었다.

"왜 웃어?"

"꼴에 형사라서 폼 잡는게 많이 늘었네. 김지은. 근데 술이 들어가서 빗나갔어."

"뭔 말을..."

아빠가 갑자기 내 손을 잡더니 깍지를 꼈다. 조금 놀라서 손을 빼려고 했는데 너무 강하게 쥐어서 손이 빼져지지가 않는다.

"가지고 놀려고 할 생각은 있는데 하룻밤으로 끝낼 생각은 없어."

"웃기네.."

137

저 여우 같은 웃음을 봐라. 내 엄마 아빠지만 아주 가관이다. 혼자 보기 아까울 정도이다. 아마 저 표정으로 여자 수백명은 꼬셨겠지. 나도 그 중 하나일것이고. 나를 키워준 엄마 아빠인게 마음에 걸렸지만 뭐 어때?

"진심으로 하는 소리지? 엄마 아빠?"

"난 거짓말 안해. 지은아."

그 다음 일은 뻔했다. 우리는 술을 더 마신 다음에 모텔로 들어갔다. 엄마 아빠는 의외로 섹스를 잘 했다. 분명 섹스를 못할 것이라고 생각했는데 이런 내 예상은 모텔 방 문이 닫지자마자 보기 좋게 빗나갔다. 정신을 차려보니 나는 엄마 아빠 아래에서 자존심까지 버리고 헐떡거리고 있었다.

"어때?"

엄마가 내 귓볼을 씹으면서 속삭였다.

"나 미친 것 같아. 엄마 아빠."

"어차피 세상은 미쳐있어. 우리도 그렇고."

그래. 어차피 세상은 미쳐있고 우리가 조금 미친다고 해도 아무 일 없겠지. 나는 노골적으로 웃으면서 다리를 벌렸다.

138

"더 해봐. 엄마 아빠."

"그래."

엄마와 아빠의 숨결이 질척하게 섞이는 것이 느껴졌다. 양아치, 쓸모없는 년, 사회악.. 같은 여러가지 닉네임들이 우리 엄마 아빠한테 있다는 것은 매우 잘 안다. 하지만 이거 하나는확실하다. 엄마 아빠가 나를 나락으로 넣을 사람인것을 알면서도 나는 결코 빠져나올수 없는 곳에서 허우적거릴것이다.그것마저 즐겁다고 내 자신을 세뇌시켜가면서 말이다.

안소영 28화

가까스로 눈을 떴다. 머리가 울리고 금방이라도 토를 할 것 같다. 숨을 들이쉬면서 자리에서 일어나려고 했지만 왼쪽 손목에 수갑이 채워진체로 소파 팔걸이에 걸려 있어서 쉽지가 않았다. 결국 눈만 깜빡이면서 여기가 어디인지 알아보려고 할뿐이었다. 내가 있는 곳은 웬 버려진 건물이었다. 뼈대만 남은창문과 오래된 책상 의자따위가 뒹구는 그런 곳 나는 휘청거리면서 쇼파에 똑바로 앉으려고 하자 누군가가 나를 부축해주었다. 익숙한 손길이 느껴져서 보니 내 예상대로 은시현이였다. 그는 나를 똑바로 앉쳐놓고 맞은편 의자에 앉았다.

"정신 들어?"

"이거 뭔데? 안 풀어?"

결국 이렇게 된거구나. 라고 당황스러웠지만 현실을 받아드려야 한다. 나는 한숨을 쉬었고 은시현은 말보로 레드에 불을 붙치면서 말했다.

"어차피 풀어주나 안 풀어주나 결말은 같을텐데."

은시현은 웃으면서 말보로 레드를 검은색 폴로 퍼플라벨 구두로 비볐다.

"그러니까 왜 그랬어? 김지은?"

은시현은 웃으면서 말했다.

"구체적으로 뭐가 불만인건데? 은시현?"

나는 피가 조금 섞인 침을 바닥에 뱉어내면서 말했다.

"그냥 대세에 따랐더라면 조용히 살았더라면 이런 꼬라지안 봐도 되잖아. 김지은 너나 안소영이나 강바다나 보면 웃기는 작자들이야. 사람들한테 경멸받을것을 알면서도 레즈비언 주제에 가족을 꿈꿨고 그 무모한 꿈 때문에 타케시 레몬의 은행까지 털어서 어디 도망가려고 했잖아. 다른 부하들까지 설득해가면서 말이야."

은시현은 검은색 퍼플라벨 정장 블레이저 안 주머니에서 말보로 레드를 꺼내 다시 불을 붙쳤다. 비웃듯이 말하는 목소리는 덤이었다.

"너의 사랑은 이미 오래전에 자살당했어. 김지은."

은시현은 말보로 레드를 더 깊게 빨아드리면서 말했다.

"그래. 아마도 그랬겠지. 너 말이 맞을거야. 은시현. 그런데한 가지 빼먹은게 있어. 우리의 사랑은 너한테 꽃처럼 나약하고 덧없는 것으로 보였을지도 모르겠어. 서로 비바람을피하려고 무턱대고 울타리로 감싸도 끝끝내 꽃은 태양빛이그리워서 죽어버리는 그런 꽃 말이야. 어쩌면 우리의 사랑은 한낮에 밤을 바라는 자들처럼 무의미할수도 있겠지. 하지만 엄마도 아빠도 그리고 나도 잘 알아. 비와 바람을 막는다고 무작정 울타리를 쳐서 꽃을 보호해봤자 강한 폭풍우가오면 꽃은 결국 죽게 돼. 울타리도 아무런 소용이 없을거고.그걸 알면서도 우리는 꽃처럼 나약하고 덧없는 인생을 살려고 하지 않았어. 오히려 두려워하고 있는 쪽은 은시현 너 아니야? 스스로 운명으로부터 도망치려고 하는게 딱 보이거든."

"웃기는 소리 그만해. 김지은."

은시현은 검은색 폴로 퍼플라벨 정장 안 주머니에서 검은색베레타 92 권총을 꺼내 김지은의 머리에 겨누면서 말했다.

"이 세상에 신이라는게 존재하기나 하는 것 같아? 김지은. 순진해빠진 이야기는 이제 집어치워. 실제로 그런 존재가 있었더라면 난 불행하지 않았겠지. 넌 너무 멍청해. 김지은.23살이 된 지금까지도 순수하잖아. 난 태어나서 천사가 나한테 웃어준 적은 한번도 없어. 단 한번도.."

141

"..."

나는 그저 아무 말도 하지 않은체 가만히 은시현의 눈을 쳐다봤다. 형사 생활 몇 년 한 난 눈빛만 봐도 안다. 은시현이라는 여자가 얼마나 불행한지 그리고 얼마나 많은 서러움을가지고 있는지 그래서 말을 할수가 없었다. 내가 그녀의 과거를 알고 있기 때문이다. 그래서 배신을 해도 화는 났지만이해는 갔다. 저 과거라면 저럴수 있다고 생각했기 때문이다. 그저 아무 말도 하지 않은체 시간만이 흘렀다.

"오랫만에 직접 만나네. 김지은."

익숙한 목소리에 주인공은 어두운 폐건물 안에서 등장했다.타케시 레몬. 나를 엄마 아빠로부터 떨어트리려고 했던 인물이다. 도대체 왜 그랬던것일까? 라고 묻고 싶은 생각이 굴뚝같았다. 이윽고 갈색 코듀로이 폴로 퍼플라벨 자켓에 단추를 하나 풀은 밝은 파란색 스트라이프 폴로 퍼플라벨드레스 셔츠에 어두운 LVC 청바지에 타케시 레몬 특유의능청스러운 말투까지 3년전과 전혀 달라진게 없었다. 달라진거라면 우리의 상황이겠지.

"매번 말로만 들었거든. 바빠서 말이야. 직접 만나는건 오랫만이네."

내가 그 말에 끄덕거리자 타케시 레몬은 내 맞은편 쇼파에 앉아서 갈색 코듀로이 폴로 퍼플라벨 블레이저 안 주머니에서 말보로 레드를 꺼내서 라이터에 불을 붙쳤다. 어두운 폐건물에 쌔빨간 라이터 불이 확 터졌다가 금세 가라앉았다.

"결국 이렇게 만났네. 너 설국열차라는 영화 알아?"

타케시 레몬이 독한 담배냄새를 내쉬었다. 내가 빨아드리는 담배 냄새는 달콤하기 그지 없는데 남이 뱉는건 왜 이리 지독한건지 잘 모르겠다. 나는 헛 기침을 몇번 한 다음에 대답을 했다.

"무슨 시시콜콜한 영화 이야기 하는거야?"

나는 짜증이 나서 핀잔섞인 말투로 타케시 레몬한테 말했다. 하긴 그런만도 하다. 뜬금없이 와서 나를 납치하고 은시현을 불러다가 엄마를 죽이고 아빠는 행방불명인데 이성적인 사고를 할수 있는 상황이 안 되니까 말이다.

"처음부터 나와 너의 위치는 꼬리칸과 머리칸처럼 정해져 있었어. 신발이 머리에 있지 않고 발에 있는 것처럼 말이야. 난 모자이고 넌 신발이야. 너의 위치를 알란 말이야. 김지은. 미친 년처럼 날뛰지 말고."

타케시 레몬은 표정이 굳어진체로 입에 물고 있던 말보로 레드를 씹으면서 말했다.

"뭐. 이런 잡담 나누러 온건 아닌것 같은데. 요점만 말해. 타케시 레몬."

당연히 알고 있다. 타케시 레몬이 시시콜콜한 영화 이야기나 하려고 여기 온것은 아니라는 것을. 일단 기다려보는 것도 괜찮을것 같지만 언제까지 이런 개소리를 들어줄수가 없기 때문에 일단 그녀를 도발했다. 그러자 타케시 레몬은 말보로 레드를 빨아 드리면서 말했다.

143

"너하고 시시콜콜한 사랑 나눔하다가 강바다는 죽고 안소영은 정신 못차려서 손해 본게 한 두개가 아니라서 그렇지."

역시 내 예상을 벗어나는 일이 없다. 고작 이런 것 때문에 나를 납치한거야? 하여튼 이 년도 가지가지 한다. 기가 막혀서 웃음이 나오려는 것을 겨우 참았다.

"그래서 불렀다고? 물론 맞지. 맞는데 그게 우리들 때문이라고 생각해?"

"뭐라고 지꺼리는거야?"

"원인 제공은 전부 타케시 레몬 당신이 했다는거 생각 못하는거야?"

잔뜩 구겨지는 타케시 레몬의 인상을 보니 아차 싶었다. 조용하게 머리 숙이고 다음을 도약해도 목숨 부지할까 말까인데 이렇게 잔뜩 도발을 해놓다니 나도 바보인가 라는 생각이 들었다. 하지만 타케시 레몬은 웃으면서 태연한 표정으로 말보로 레드에 불을 붙쳤다. 덕분에 금방이라도 숨막혀 죽을 것 같은 침묵이 흘렀다. 얼마나 시간이 흘렀을까?그냥 혀 깨물고 죽어버릴까? 라고 생각할 무렵 타케시 레몬이담배를 비벼끄고 나한테 다가왔다. 그는 내 얼굴을 천천히봐라보면서 낮게 속삭였다.

"너 이대로 죽고 싶지는 않잖아? 안 그래?"

144

이 인간들은 도대체 왜 그러는걸까? 위협만 하고 돈만 주면 뭐든지 다 된다고 생각하는걸까? 불쾌함에 몇 마디 쏘아붙치려는데 타케시 레몬이 나를 내팽겨치는 바람에 바닥으로 굴러 떨어지고 말았다. 충격에 숨을 들리마시는 사이 타케시 레몬이 말보로 레드를 갈색 폴로 퍼플라벨 코듀로이 자켓 안주머니에서 꺼낸 다음에 불을 붙치면서 말했다.

"원래 내 성격 같았으면 바로 머리통에 은색 총알 하나 들어가는건데. 봐주는줄 알아. 김지은."

"그래서 하고 싶은 말이 뭔데? 겁만 주지 말고 말하란 말이야."

타케시 레몬은 말보로 레드를 깊게 들리마시면서 말했다.

"옵션은 두 가지야. 안소영을 잊고 살던지 아니면 나랑 같이 일해. 그러면 둘 다 살 수 있어. 내가 약속하지."

하여간 내 예상을 빗나가는 일이 하나도 없다. 분명 예상하던일인데 심장이 요란스럽게 뛰는건 어쩔수가 없었다. 나는 온 힘을 다해서 소리내서 말했다.

"내가 포기하거나 같이 일하면 안소영은 어떻게 되는거지?"

"예전처럼 살겠지."

"그쪽 품으로 다시 돌아간다는 말이네?"

145

"그렇지. 두 선택지 전부다 좋은 선택지지. 너도 살고 안소영도 살고."

생각해보면 손해보는건 없었다. 오히려 좋았다. 두 선택지중 하나만 골라도 두 명 전부다 살수 있으니까.

"웃기지마. 타케시 레몬."

내 대답에 타케시 레몬의 표정이 굳어졌다. 이제 와서 두 선택지를 고른다고 해도 자유로운 삶을 알아버린 나와 안소영한테는 의미가 없다. 이제 과거의 삶은 더 이상 의미가 없다.말이 끝나기가 무섭게 타케시 레몬은 갈색 크로켓존스 구두를 신은 발로 나를 걷어차버렸다. 구두가 어깨를 짓누르자 통증이 강하게 느껴졌다. 나는 약해보이기가 싫어서 비명을참고 숨을 몰아쉬었다.

"다음 말은 신중하게 하는게 좋을거야. 김지은."

"딱히 더 할 말도 없는데."

타케시 레몬이 어이가 없다는 듯이 웃었다. 그의 손짓 한번에 조직원들이 나를 쇼파에 앉쳤다.

"형사라서 그런지 똑똑한 줄 알았더니 멍청한 년이였구만."

146

"타케시 레몬 당신도 마찬가지야. 남 부러울 것 없는 재벌이면서 더 많은 부를 원하고 불법적인 일을 하기 위해서 엄마아빠를 이용하고 이용 가치가 없어지자 쓰레기통에 버리고나한테까지 폭력을 쓰잖아. 멍청한 년은 오히려 타케시 레몬 너 아니야? 하긴 그럴만도 하다. 아직도 과거에 신분제 시스템에 갇혀있으니까 이럴만도 하지."

"저 년이.."

내 말에 타케시 레몬이 괜히 울컥해서 달려들었다. 순식간에주먹이 날라와서 턱에 꽂혔다. 씨발.. 제대로 맞았는지 머리가 완전히 울린다. 타케시 레몬이 나를 한 대 때리고 그녀는왼쪽 팔에 차고 있던 롤렉스 1908 시계를 풀었다.

"마음 같아서 죽이고 싶은데. 뭐 됐어. 안소영이 죽일지 말지 판단해야 하니까."

타케시 레몬의 입에서 안소영이라는 말이 나오자 마자 정신이 확 들었다. 나는 입 안에 피를 뱉어낸 다음에 말했다.다급한 나와 다르게 타케시 레몬은 목이 마른지 부하가 가져다 준 레몬 맛 페리에 탄산수를 마시고 나서야 대답했다.

"그 애 걱정은 안 해도 좋아. 안 죽일거니까."

하긴. 타케시 레몬의 입장에서는 아직 쓸만한 장난감이니까. 이걸 다행이라고 해야할지는 모르겠지만 일단 상황이 이러니 안소영이 안전한지 부터 확인해야 했다.

147

"어디 있나고!"

내가 버럭 소리를 지르자 타케시 레몬은 어이가 없다는듯이 웃으면서 말했다.

"버릇장머리하고는 아직 정신을 못 차리셨구만."

타케시 레몬이 나한테 다가와 내 머리채를 잡고 책상에 내리꽂았다. 팔다리가 묶여 있어서 아무것도 할수가 없다.

"이거 놔!"

"아직도 상황 파악이 안돼?"

"뭐?"

"죽고 싶어서 환장했구만. 지금 너 목숨줄 쥔게 누구인줄 알고 지꺼려?"

순간 등줄기에 소름이 돋았다. 나를 내려다보는 타케시 레몬의 눈빛에서 살의가 느껴졌다. 그 느낌에 아무것도 할수가 없었다.

두려움은 타케시 레몬이 갈색 코듀로이 폴로 퍼플라벨 블레이저 안 주머니에서 회색 발터 PPK를 꺼낼때 두려움은 확신으로나한테 각인 되었다.

차가운 발터 PPK의 총구가 나한테 닿았다. 나는 떨리는 숨을 진정시키기 위해서 타케시 레몬의 눈을 똑바로 쳐다 봤다.

"왜 쏘게?"

최대한 침착하게 말해보려고 노력했지만 내 목소리는 약
간 떨렸다. 내 말에 타케시 레몬은 어이가 없다는듯이 나
를 보고 비웃었다. 총알이 들어있지 않은 발터 PPK가 찰
칵 소리를 내면서 멈췄다. 탄창이 비어있을 것이라고 예
상은 했지만 식은땀으로 몸이 흥건하게 젖었다.

"왜 쏘겠어? 나도 피보기 싫어. 이건 경고야. 죽은듯이
있으라는 경고. 알아들었어?"

타케시 레몬이 총을 거두고 조직원들한테 무언가를 말했
다. 그들이 내 입을 막고 눈을 가리고 어딘가로 데리고 갈
때 나는 반항 한번 못했다. 그저 힘 없이 끌려갈 뿐이었
다. 두려움과 동시에 자괴감이 몰려왔다. 안소영이 우리
아빠가 위험한 상황에 도움이 되기는 커녕 오히려 약점이
되었으니까 말이다. 아빠한테 가야하는데.. 아빠랑같이
이곳을 빠져 나가야 하는데.. 안소영을 도와줘야 하는데
왜 지금의 나는 아무것도 하지 못하는걸까...

속이 타들어갔다.

머릿속으로 안소영의 이름을 부르고 어떻게 하면 이 상황
을 탈출할수 있을까.. 수십 수백 수천 번을 생각했다.

분명 그랬는데 그랬는데 지금 내가 할수 있는 일은 그저
정신을 잃고 어디로 갈지 모르는 상황이다.

149

안소영 29화

희미한 눈을 뜨고 가물가물하게 내 귀에 들려오는 욕설과 비명이 내 정신을 깨웠다. 좀 시끄러운게 아니라서 눈을 뜰수 밖에 없었다. 조직원들이 난데없이 저들끼리 싸우고 있었다. 나는 어리둥절한 표정으로 주위를 돌아보았다. 기절해 있던 사이에 무슨 일이 발생한거지? 우선 최선을 다해서몸을 일으켜세웠다. 온 몸이 멍 투성이고 이마에서 흐른 피때문에 정신이 온전치 않다. 통증이 몰려오는 것을 참고 눈을 깜빡이는데 약간 붉은 빛이 도는 시야 사이로 사람들한테 맞고 있는 우리 아빠가 보였다. 어찌나 놀랐는지 아까전까지 느껴지던 통증이 느껴지지 않았다.

"아빠?"

그가 왜 여기에 있는 것일까? 설마 나를 구하려 온 것은 아니겠지? 어차피 난 살지 못할 것을 아는데 제발 무모한 선택따위는 하지 마. 아빠.. 나는 그런 생각을 하면서 기어서라도 아빠한테 가려고 애썼다. 그러나 몇 걸음 가기도 전에 누군가한테 멱살이 잡혔다.

"이제 일어났네."

은시현이었다. 그는 내 짧은 머리카락을 잡아 왼쪽으로 시야를 돌렸다.

"잘 봐. 너 하나 때문에 이 꼴이 났어."

150

아빠가 다수의 사람들한테 맞고 있는 것을 보니 속이 타들어 갔다. 하지만 이제 와서 굴복할 마음도 없었다. 나는 아빠 대신 죽을 각오를 하고 은시현을 노려보면서 말했다.

"닥쳐. 이게 왜 나 때문인데?"

그 말을 듣자마자 은시현이 나를 땅바닥에 내팽겨쳤다.

그는 쓰러진 나한테 다가와서 말했다.

"너가 진짜 죽고 싶어서 환장했구나?"

그가 구둣발로 내 어깨로 가슴을 짓눌렀다. 웬만해서는 참아보려고 했는데 나도 모르게 비명이 나왔다.

"죽는게 소원이라면 들어줄게. 김지은."

거의 다 포기하고 죽음을 받아드릴 무렵 갑자기 아빠의 목소리가 폐건물에서 울렸다.

"은시현!"

은시현이 고개를 들었고 아빠는 두 눈을 번뜩이면서 나와 은시현을 향해서 왔다. 아빠의 손에 들린 피 묻은 쇠파이프가 너무 소름끼쳤지만 지금은 그런 것 따위는 생각할때가 아니다.

"그 발 치워."

안소영이 잔뜩 화가 난 상태로 말했다. 반면에 은시현은 태연한 말투로 대꾸했다.

"싫은데? 내가 왜?"

은시현이 발에 힘을 더 주었다. 불에 타는 듯한 고통이 온 몸에 퍼졌다.

"나 해 뜨기 전에 이 년 죽일 생각인데."

내가 비명을 지르기도 전에 아빠는 은시현한테 달려들었다. 둘은 한대 뒤엉켜 몸싸움을 벌렸는데 실력만으로 봐도 아빠가 한 수 위였다. 아빠는 은시현을 제압하고 그 위에 올라가 주먹질을 했다. 그리고 얼마 지나지 않아 은시현의 움직임이 멈추자 아빠는 나한테 달려왔다. 아빠는 나를 똑바로 앉히고 얼굴에 상처를 확인했다.

"괜찮아? 왜 이리 많이 다쳤어? 지은아?"

안소영이 하얀색 생로랑 드레스 셔츠로 내 피를 닦아주면서 말했다. 순간 그 동안 겪었던 일들이 떠올라 눈물이 났다.

"아빠야 말로 얼굴이 그게 뭐야."

"나? 난 괜찮아. 별거 아니야."

152

멀쩡하기는 개뿔. 한 눈에 봐도 전치 몇 주는 나오게 생겼는데 거짓말 하기는.. 기가 막혀서 웃음이 나왔다. 아빠는 내가 웃든말든 신경 쓰지 않고 내 팔다리를 감고 있는 청테이프를 풀기 위해 애썼다.

"일단 도망쳐. 걸을 수 있지? 최대한 빨리 가. 나도 따라갈테니까."

아빠가 내 발목에 감겨 있는 청테이프를 풀면서 말했다. 그 말을 듣자 나는 버럭 화를 냈다.

"미쳤어? 아빠? 어떤 일이 있을 줄 알고 나 혼자 도망쳐!"

"괜찮아. 아빠 안 죽어."

잔뜩 화가 난 나와 다르게 아빠는 세상 침착한 표정으로 말했다.

"약속할게. 무사히 갈테니까 걱정하지 마. 아빠."

약속이라면 아빠는 무조건 지키지만 걱정되는건 어쩔수 없다. 그가 나를 만나면서 지키지 못한 유일한 약속이 이번 약속일거라는 불길한 생각이 들었다. 하지만 이렇게 있다가는 우리 둘다 죽을수 밖에 없기 때문에 나는 고개를 끄덕였다.

"어딜 도망가려고?"

아빠가 화들짝 놀라서 뒤를 돌아봤지만 이미 늦었다. 은시현이 아빠한테 다가오더니 그대로 아빠 얼굴에 주먹을 내리꽂았다. 둘은 몸 싸움을 벌이기 시작했다.

153

"뭐해! 빨리 가!"

아빠가 외쳤다. 나는 이를 악 물고 자리에서 일어나려고 했다. 그때 갑자기 누군가가 내 머리채를 잡고 끌어올렸다. 곧 이어 차가운 발터 PPK의 총구가 내 머리에 닿는것이 느껴졌다.

"그래서 이렇게 해보니 어떠니?"

타케시 레몬의 질문에 아빠는 대답하지 못했다. 아빠의 어깨가 미세하게 떨리고 있었다.

"대답이 어려운가 보구나. 그럼 질문을 바꿔보자."

타케시 레몬이 말보로 레드에 불을 붙히면서 말했다.

"안소영. 너가 과연 나를 벗어날수 있을까?"

아빠는 고개를 저으면서 말했다.

"아니. 아니요. 제가 어떻게 회장님을 벗어날수 있나요. 회장님도 아시잖아요."

아버지가 피투성이가 된 체로 바닥을 기면서 말했다. 타케시 레몬은 웃으면서 말보로 레드에 불을 붙쳤다. 그것을 보는 나는 내 가슴이 산산조각이 나는 느낌이었다.

154

“너가 뭘 잘못했는데?”

내가 괴로움에 신음하는 사이 두 사람은 대화를 계속 나눴다. 타케시 레몬은 내 머리에 차가운 발터 PPK 권총을 들이밀고 웃으면서 말보로 레드를 비볐다.

“주워온 아이한테 정이 들어서 자식처럼 생각하고 길러서 조직 일을 망쳤습니다. 회장님을 죽이려는 계획까지 세웠고요. 전부 제 잘못입니다. 그러니 죽이고 싶으시면 저를 죽이세요.”

아빠가 겨우 상체를 일어세워 타케시 레몬 앞에 무릎을 꿇었다. 나도 모르게 눈물이 흐르기 시작했다. 얼굴에 난 상처에 눈물이 닿으니 조금 쓰라린게 아니었다. 하지만 저 모습을 보고 어떻게 안 울수가 없을까? 전부 내 잘못이였다. 은시현의 말처럼 나 때문에 일어난 일이였다. 책임을 져야하는건 나인데 아빠가 불편한 몸으로 이렇게 빌고 있는 것이 너무 처절해서 억장이 무너져 내렸다.

“안소영 너처럼 머리가 잘 돌아가는 애가 이런 무모하기 짝이 없는 계획을 세우고 무사하기를 바란건 아니겠지. 언젠가는 이 상황이 올걸 알고 있었을거야? 안 그래?”

아빠가 고개를 끄덕였다.

“다 알면서 왜 그런거니?”

155

"왜냐하면 회장님은 죽어도 모르시니까요. 죽었다 깨어나도 모를겁니다. 저한테 있어서 이 아이가 얼마나 중요한지 제게 어떤 감정을 주는지 전혀 모르실거에요."

그 말을 듣자 숨이 턱하고 막혔다. 눈물이 계속해서 흐르는데 닦지를 못하니 시야가 점점 흐려진다. 하지만 그 좁은 시야 너머로 아빠가 나를 어떻게 생각하는지 알수 있었다.

"그러니까 제발 저 아이만큼은 살려주세요. 제가 대신 죽겠습니다."

"너를 죽이라고?"

"네."

"소영아. 내가 왜 너를 위에 두었는지 아니? 강바다를 놔두고?"

타케시 레몬이 웃으면서 말했다. 평범하게 웃으면서 이야기하는 것이 아니라 냉소적인 웃음이라서 소름이 끼쳤다.

"너는 내 가까운 사람들, 심지어 2인자인 강바다에 목에 칼이 들어와도 내 자신의 이익만 챙겨서 도망칠 사람이거든. 나 역시 젊은 시절에 그랬기 때문에 강바다 대신 너를 내 자리에 앉치기로 결심한거야. 강바다는 꼴에 희생정신이 너무나도 지나치고 마음이 여리거든. 그건 조직에 도움이 전혀되지 못해."

엄마는 죽었지만 우리 둘이 살수 있다는 목소리라서 나는 조금 안심했다. 살아 있기만 해도 후에 무언가를 할수있으니 그것만으로도 안심이었다. 내가 안도감을 느끼는사이에 타케시 레몬은 계속해서 아빠한테 말했다.

"그래도 시궁창에 주워서 먹이고 키운 시절이 있었으니 이번 일은 늦은 사춘기 정도로 생각하고 봐주마. 이 정도로 혼 났으면 됐어. 난 너를 잃고 싶지 않아. 어느 부모가 자식을 잃고 싶겠니. 그런데 소영아."

타케시 레몬이 김지은한테 총구를 치우고 말보로 레드에 다시 불을 붙치면서 말했다.

"근데 조건이 있어. 나도 이 정도 해줬으니까 너도 희생을 해야겠지."

나와 안소영 둘 다 살아남을수 있다는 희망을 가질 무렵 타케시 레몬은 왼손에 들고 있는 회색 발터 PPK 권총을 건넸다. 혹시나 하는 불안감에 온 몸이 떨렸다.

"너가 기른 자식을 너 손으로 죽여. 그게 조건이야."

곧 이어 차가운 발터 PPK의 총구가 나를 향해왔다. 총을 쥔 아빠의 손은 흔들리고 있었다.

"숨 참고, 어깨에 힘 주고. 처음 쏠때는 두 손으로."

157

타케시 레몬은 아빠 등 뒤에 서서 총구를 조정해주면서 말했다. 타케시 레몬의 영악한 웃음에 본능적으로 두려움이 느껴졌다. 분명 그녀는 이 상황을 즐기고 있는듯 했다.

"네가 더 자라면 그때는 한 손으로 쏴 봐."

고아원에서 버려진 나를 먹여주고 길러준 타케시 레몬이 내가 어느 정도 나이가 되자 권총을 쥐어주면서 한 말이다. 타케시 레몬은 그 말만 하고 뒤로 몇 걸음 물러났다.

이제는선택해야 할 시간이다. 좋든 싫든.

안소영 30화

"너만 인정하면 돼."

"이미 끝난 관계인 거 너도 알잖아."

"정신차려. 그게 사랑이냐? 역겨운 거지."

"이미 답 나왔잖아."

내 자식을 죽인 다음에 타케시 레몬이 한 말들이다.

그 말을 들을때 마다 내 어깨가 미세하게 떨린다.

처참한 것, 낭자한 것, 비참한 것

158

집에 와서 혼자 술을 마시면서 비워내야 하는 것들. 내 자식인 김지은을 죽이고 미처 아물지 못한 상처는 결국에는 또 터져 결국에는 덧날 것이다. 나는 어떤 방식으로든간에 내 자식을 지키고 싶었다.

그러나 그러지 못했다. 알고는 있었다. 우리가 꾼 꿈이 한낮의 밤을 꿈꾸는 것처럼 무의미하다는 것을. 언젠가는 끝날것이고 그 꿈은 결코 이루어지지 않을 것이라는 것을 너무나도 잘 알고 있다. 나도 김지은도 강바다도.

현실을 외면하고 싶은지, 내 머리가 꾸벅꾸벅 내 몸의 스위치를 꺼버린다. 그래. 꿈에서라도 우리 가족을 만날수 있다면 뭐든지좋아. 이렇게 잠깐 잠든 사이에 조금이라도 행복하고 싶으니까.

아아. 온갖 잡생각들이 내 머릿속에서 떠오른다. 머리가 아프다. 신은 이런 나의 고통을 알기나 하는 걸까.. 또 허튼 생각...이러다가 또 금세 잠이 들겠지.

요즘에는 길게 생각하는 것들이 매우 힘들다. 나를 괴롭히던 기억들만 잔뜩 내 머릿속에 떠올라서 길게 생각조차 하지 않으려고 하다보니 길게 생각하는 방법조차도 까먹었다. 하지만 가끔씩 아주 짧은 시간들 순간에서 떠오르는 것들이 있다. 나는 김지은과 강바다를 그리워한다는 것과 그리고 이 둘을 다시 만날수는 없다는 것이다.그런 생각들을 하다보면 내 몸이 당장이라도 콘크리트 바닥을 뚫고 밑도 끝도 없는 절망의 블랙홀로 추락하는 느낌이 든다.아니 늪에 빠져서 한 걸음 한 걸음 딛는 것도 힘들고 숨이 벅턱막히는 말이 정확하겠지. 잠시나마 품었던과거의 가족들이랑했던 사랑스러운 기억들은 내 마음 속에 품었던 안식처는 어느순간 나를 잡아먹는다.

내가 지금 살아있는 이유는 무엇일까?

안소영 31화

멸망은 찬란하고 3류 할리우드 영화 따위에나 나올 법한 기적따위는 존재한적이 없었던 아니 정확히 말하면 행복했던 시절은 이미 한 줌의 재가 되어 자살당한 날들은 이미 지나 내 마음속에서 잊쳐진듯 잊쳐지지 않아 아직도 나를 괴롭힌다. 그저 생활하는 것만으로도 하루 하루 죄책감의 무게가 쌓여 감당할수가 없어진다.

욕실에 있는 두 가족을 위한 칫솔

가족들끼리 같이 앉아서 티비를 봤던 노란색 쇼파

아직도 희미하게 강한 폴로 향수 냄새가 나는 강바다의 방농축된 새벽. 그리움이라는 작은 마음을 겨우 겨우 짓눌러 살아왔던 나를 무너트린다. 사람들이 인정하지 않는 가족이 뭐라고 이렇게나 정성 가득하게 잊지 못하는 것일까.. 그 생각만 계속하다가 잠에서 깨어나 두 팔로 배개를 껴 안는다. 내 몸은 꼭 우는 것처럼 몸이 덜덜 떨린다. 그 이후로 아무 의미 없이 살아온내 인생에 구역질이라도 나는지 화장실로 바로 직행해서 구토를 했다. 통증이 아리게 온 몸을 지배한다.

어디선가 약간 조약한 악취가 났다. 구토와 눈물이 말라버려서생긴 쉰내와 사랑이 썩어문들어져서 나는 악취. 어디로도 향할수가 없는 마음이 고여서 나는 썩은 냄새. 자꾸만 구역질이 나서 벼틸수가 없다. 나는 그저 그 냄새를 맡고 몇 번이고 변기에 토를 했다. 몇 번의 구토 이후 나는 얕게 숨을 내쉬었다. 헝클어진 주황색 머리카락을 잡고 울고 또 울었다. 아무렇게나 처박힌 옷가지들과 이불 더미가 눈에 들어온다.

아마 오늘 밤은 꽤나 긴 밤이 될듯 하다.

안소영 32화

"지중해부터 요르단까지 팔레스타인의 자유를!"

"레몬그룹의 이스라엘 무기 지원을 반대한다! 반대한다!"

미국 메릴랜드 록히드 마틴 본사 앞을 지나가고 있는 타케시 레몬의 하얀색 롤스로이스 더 코어 펜텀 앞에서 타케시 레몬이 주인으로 있는 록히드 마틴사가 이스라엘에 패트리어트미사일과 F-16 전투기를 판매한 것에 대한 규탄으로 시위대는 그가 타고 있는 하얀색 롤스로이스를 막고 있었다. 타케시 레몬은 성가신듯 뒷 좌석 냉장고에서 로마네 콩티 2002빈티지 피노누아 와인을 잔에 따라 안소영한테 건넸다.

"또 저런다니까. 또 나만 욕하지. 지들도 돈 받으면 무기 팔거면서."

타케시 레몬은 약간 포마드를 바른 머리를 쓰담으면서 와인을 마신 다음에 한숨을 쉬면서 말했다. 그녀는 와인잔에 약간 따른 로마네 콩티 피노누아 와인을 다시 와인잔에 따랐다. 오래 숙성된 진한 피노누아 와인이 흡사 진한 피 같아서 안소영은 조금 소름이 끼쳤지만 딱히 내색하지는 않았다.

"안소영 너도 한잔 해. 저 시위대 새끼들 쫓아내려면 꽤나 오래 걸릴것 같으니까."

타케시 레몬이 안소영한테 와인잔을 건내면서 말했다. 그래. 어차피 한 잔 마셔두는게 나을 것 같아서 안소영은 타케시 레몬이 준 와인잔을 받았다.

"미안하게 됐어. 너희 가족 일에 대해서는. 그런데 어쩌겠어.현실은 냉정하다고. 나도 알아. 너가 어떤 마음인지도 어떤기분인지도 잘 안다고. 나도 여자친구가 있으니까. 근데 현실은 말이야. 나도 그렇고 너도 그렇고 우린 결코 인정받을수있는 사람들이 아니야. 우린 필요악이야. 사람들은 우리가 잔인하고 냉소적이고 광기 어린 살인마라고 비난하고 멸시하겠지만 우리들은 그저 에이전시일 뿐이야."

타케시 레몬은 검은색 스트라이프 폴로 퍼플라벨 블레이저 안 주머니에서 말보로 레드를 꺼내서 하얀색 듀퐁 라이터에불을 붙쳤다. 곧 이어 하얀색 담배 연기가 차 안을 가득 채웠다.

"세상에서 제일 사람을 많이 죽인 사람은 누구일까? 과거 소비에트 연방의 스탈린? 코발트 광산에서 사람들을 빨갱이로 몰아 대량 학살을 지시한 이승만? 한국전쟁을 자행한 북한의 김일성? 전혀 아니야. 거기에는 정답은 없어. 미국 대통령이야. 나도 안소영 너도 손에 피 좀 묻었지만 미국 대통령이 손에 피 묻은거에 비하면 아무것도 아니야. 단 한번의 결정으로내가 1년에 파는 무기보다 더 많은 무기를 팔고 단 한번의 공습과 파병으로 내가 죽이는 사람들보다 더 많은 사람들을 죽이고 수많은 사람들을 지옥행 특급 열차로 몰아넣어."

타케시 레몬은 웃으면서 말했다. 그 웃음에는 냉소가 섞여져 있었다.

162

"근데 더 재미있는건 뭔줄 알아? 그 미국 대통령조차도 에이전시가 필요하다는거야. 그 사람은 너무나도 피를 묻치기에는 고귀하고 순수한 존재로 남아야 하거든. 그래야 민주주의를 수호하는 용사라고 자칭할 수 있는 명분이 생겨. 정작 자신의 손에는 이 지구상에 존재했던 그 어떠한 독재자보다 피를 많이 묻쳤다는 것은 사람들이 몰라. 사람 죽인걸로 따지고 보면 캄보디아의 독재자인 폴 포드보다 더한 인간이야. 일반인들은 부정하겠지만."

레몬은 말보로 레드를 하얀색 유리 재떨이에 비비면서 말했다.

"저 시위대 양반들은 몰라. 우리는 이미 지옥에 있다는 것을. 실컷 즐기라고 해. 그 시위대들한테는 나는 악의 화신이고 몇년동안 아니 평생동안 감옥에서 썩고도 남아야하는 년이라고 욕하고 사태의 심각성도 모른다고 욕하겠지. 아니 난 알아. 사태의 심각성을 너무나도 심각하게 알아서 문제지. 소중하게 여기던 여동생을 자살로 떠나보내고 내 주위에는 내 돈만 보고 아첨하려는 자들만 있고 진정으로 나를 알아주는 사람은 없어. 내 여자친구도 내가 하는 일을 알게 된다면 나를 떠날지도 모른다는 두려움이 나를 지배해."

타케시 레몬은 한숨을 쉬면서 말했다.

163

"그러나 한 가지 확실한게 있다면 저 시위대 양반들이 나를 유죄라고 생각해도 안소영 너를 유죄라고 생각해도 결국 난 풀려나. 너도 그렇고 왜인줄 알아? 실세 악당들이 우리편이거든. 저밖에서 팔레스타인에 자유를 운운하는 사람들은 나를 악의 화신이라고 비난하면서 내 인형을 만들어서 불태우는 처형식을해도 나를 탐욕이 가득한 쌍년이라고 욕을 해도 결국 그 원인을만들어 낸 사람들한테는 그러지 않아. 언제나 세상 돌아가는게그렇듯이 재들은 사람 죽인 놈을 잡지 않아. 사람 죽인것 같은놈만 족쳐. 아마 다음날이면 저 새끼들은 팔레스타인이 어디인지도 가자지구가 어디인지도 미국 대통령이 오늘도 이스라엘한테 무기를 지원한 덕에 지금 이 순간에도 어딘가에서는 사람들이 죽어가고 있다는 것을 망각하게 될거야. 왜 그러냐고? 사람들은 질긴 오징어를 끝까지 씹어서 삼키지를 않거든."

레몬은 말보로 레드를 다시 입에 물고 불을 붙쳤다.

"그러니까 너무 저 시위대 새끼들한테 신경 쓰지마. 안소영. 인간이란 말이야 누군가 자신을 리드해주는 것을 원하지. 자신이생각하고 스스로 움직이지 않는단 말이야. 재들도 그렇고. 내말 알지? 우리는 그냥 그 인간들을 우리가 보고 싶은 색깔만 보게 만들어서 우리 이익만 챙기면 되는거야. 그 이익 나 혼자 독식하지 않고 너한테도 줄게."

타케시 레몬은 안소영의 얼굴을 잡고 눈을 똑바로 쳐다보면서 말했다.

"자 시위대도 없어진것 같으니까 내리자."

그녀가 하얀색 롤스로이스에서 내리고 나의 손을 잡아주면서 말했다.

외전

"본명 안소영. 출생지 울산광역시 남구 선암동 출생. 1990년 7월 15일생에 태어났고 2004년에 서울로 이주했다고 적혀있네. 그리고 지금 인터폴 한국 지부에 앉아서 나한테 조사를 받고 있고. 죽음의 상인이 된 기분이 어떤가?"

인터폴 한국지부의 김태신 수사관은 안소영의 서류를 읽으면서말했다. 안소영은 검은색 폴로 블레이저 안 주머니에서 말보로레드를 꺼내 라이터로 불을 붙쳤다. 곧 이어 하얀색 연기가 조사실에 가득하게 퍼졌다.

"기분이랄것도 없어. 김태신. 어차피 난 곧 풀려날테니까."

그녀가 웃으면서 담배를 책상에 비볐다.

"경력이 아주 화려하시던데. 안소영. 마약 밀수는 기본이고 사채업자에 분쟁지역에 반군 정부군 테러리스트 상관없이 닥치는데로 무기를 팔아재끼고 콩고 내전에 끼어들어서 무기를 제공하고 반군한테 다이아몬드 독점 채굴권을 챙기고 아프간에 탈레반한테 무기를 팔아 정부를 붕괴시켰고 시리아 내전에서 러시아군, 미군, 반군, 정부군한테 무기를 팔고 정부군한테는 유엔에서 금지된 독가스를 팔아 돈을 챙겼더군. 곧 각 국가에서민사소송이 폭주할텐데 어떻게 곧 풀려난다는거지? 안소영. 넌 이미 끝났어. 소년원에서 2년간 썩고 평생을 교도소에서 썩겠군."

김태신 수사관은 진지한 말투로 나한테 말했다. 나는 그 말투가 황당하고 웃겨서 폭소를 터트렸다.

"미안. 미안. 너 말투가 너무나도 웃겨서 말이야. 그리고 내 경력을 강조해주는건 좋은데 난 탈래반 새끼들이랑 거래 한적이 없어. 그 새끼들 항상 무기대금을 부도수표 아니면 가짜 달러만주거든. 우리한테는 그 새끼들은 상대할 가치도 없는 멍청한 무슬림 거지새끼들이야."

안소영은 이 상황이 너무나도 웃긴지 너무 웃다가 눈물이 나와 버린 상태로 말했다.

"놀라지 말고 잘 들으라고 앞으로 생길 일은 너가 상상하던것과 다르니까. 몇 분뒤 제복을 잘 차려입은 군바리 한 명이 올거야. 자네한테 덕담을 하겠지. 악질적인 무기 상인을 잡아서 세계가 더 평화로워졌다고 너를 승진시켜 겠지. 유감스럽게도 너의기쁨은 여기까지야. 인터폴 양반. 그 다음에 그 군바리는 나를풀어주라고 할거야. 만약 너가 거부한다면 너는 사임을 강요받고 직장을 잃게 되겠지. 억울할거야. 2년간 나를 따라다녔는데 결말이 허무하니까."

안소영은 웃으면서 다시 말보로 레드를 입에 물고 불을 붙쳤다.

"사태의 심각성을 잘 알지 못하고 지꺼리고 있군."

인터폴 김태신 수사관은 화를 내면서 말했다.

166

"왜 나한테 화를 내? 난 그저 돈을 쫓을뿐이야. 월스트리트의증 권딜러들처럼 말이야. 다만 다루는게 다르지. 걔들은 합법과불법 사이를 달리지만 나는 불법적인 일을 하는 에이전시일뿐이야. 그리고 나를 죽음의 상인이라고 내가 살인마라고 생각하는 것 같은데 세상에서 가장 불법적인 일을 많이 하는 사람은미 대통령이야. 믿겨지지 않겠지만 이 새끼는 내가 1년에 판매하는 무기보다 더 많은 무기를 단 한번에 팔아. 근데 그 미국 대통령도 에이전시가 필요해."

안소영은 하얀색 폴로 랄프로렌 옥스포드 셔츠에 메여있는 네이비 색의 넥타이를 풀면서 말을 이어나갔다.

"아주 기분이 좆 같아보이네. 인터폴 양반. 당신은 부정하고 싶겠지만 난 필요악이야."

안소영은 웃으면서 말했다.

"또 어떻게 풀려났어? 안소영 언니?"

인터폴 한국지부 건물을 나오고 있는데 그 건물 계단에 앉아 담배를 피고 있던 최나영이 나한테 물었다. 아직 우리 조직에 들어온지 얼마 안 된 신입이다. 그녀는 밝은 하늘색 눈동자로 나를 쳐다보면서 물었다.

"다 방법이 있지."

나는 웃으면서 최나영 옆 자리에 탔다. 그녀는 짙은 초록색 알파 로메오 쥴리아 SWB 자가토 모델에 시동을 걸었다.

167

"돈바스 지역 반군 무기거래 상황은 어떻게 됐어? 최나영."

나는 운전 중인 최나영한테 물었다. 하긴 그럴만도 하다. 내가 인터폴에 잡혀있었던 3달동안 무기밀매 거래가 지연되었기 때문이다. 허세는 부리기는 했지만 보통은 몇시간 안에 풀려나고는 하는데 이번에는 3달동안 망할 인터폴에 잡혀있어서 몸을 사리는 편이 좋기는 하지만 난무모한게 좋다. 겁쟁이처럼 이 게임에서 물러나고 싶지않기 때문이다.

"거의 다 완료됐어요. 언니. 이제 돈만 받으면 돼요."

자동차가 교차로에서 신호대기가 걸려있는 사이에 최나영은 나한테 말했다.

자동차가 교차로에서 신호대기가 걸려있는 사이에 최나영은 나한테 말했다. 나는 아까전에 풀어제낀 남색 넥타이를 하얀색 폴로 랄프로렌 옥스포드 셔츠에 단정하게멨다. 정신이 혼잡한 모습을 보이지 않기 위해서 차 안에 있는 포마드를 짧은 주황색 머리에 발랐고 몸에서 냄새가 날까봐 디올 소바쥬 향수를 몸에 뿌렸다.

"거래 장소까지 얼마나 걸려? 최나영?"

"20분 정도 걸려요. 언니."

168

"넌 거래 장소에 들어가지 말고 차 안에서 대기하고 있어."

나는 운전하고 있는 최나영한테 단호한 목소리로 말했다.

"우리 잘 맞는거 아니였어요? 언니?"

그녀는 서운한 목소리로 나한테 말했다.

"너 1년전에 멕시코에서 마약 조직한테 무기 팔때 그 두목 새끼가 무기대금을 현금으로 안 주고 코카인 7kg로 대신하겠다고 해서 총 빼고 난리쳤잖아. 물론 그 두목 새끼가 잘못한건맞는데 우리 룰이 우리가 파는 무기에 죽지 않는게 원칙이잖아. 너가 그 지랄한 덕분에 나 복부에 총 맞아서 지금도 욱신욱신하다고. 근데 또 그 꼴을 나보고 당하라고?"

나는 투덜거리는 목소리로 말했다. 하긴 그럴만 하다. 의사조차도 총알이 몇미리미터만 깊숙히 들어갔다면 사망했을거라고 말했으니까 이 정도 반응은 정상이겠지. 최나영 이 녀석..

일머리하고 눈치머리는 있는데 가끔씩 화를 못 참고 날뛸 때가있어서 골치 아픈 아이이다. 그래도 제 몫은 해내는 녀석이고 가끔씩 귀여운 면도 있으니까. 뭐 어때?

내 가족을 내 손으로 죽인 이후로부터는 나는 현실주의자가 되었다. 한낮의 밤처럼 무모한 가족을 꿈꾸는 것이 아닌 어쩔수 없었다는 식으로 탱크라는 거대한 기계 앞에서는 저항하는대신 스스로 항복하고 살아가는 것이 현명하다고 내 나름대로자기합리화를 했다. 나쁜 것은 안다. 현실을 외면하는 것이니까. 그러나 살아남는 것이 가장 중요하다.

169

처음에는 쉽지 않았다. 그런 생각을 가지고 있는 내 자이 역겨웠고 내가 싫었다.

하지만 인간은 적응의 동물이라고하지 않나. 그런 감정들은 살아남아야 한다는 절박감과 간절함의 의해서 희석되고 무뎌졌다.

세월이라는 힘은 이래서무섭다. 겨우 내 가족을 내 손으로 죽인지 1년밖에 지나지않았는데 이렇게 잊어가고 있으니 말이다.

이건 아마도 잊어야 한다는 마음으로 잊어온 것이 매우 크겠지.

내 아내인 강바다

내 자식인 안소영

어쩌면 너무 소중하게 생각했기 때문에 영원히 잊지 못하겠지.

그러나 이제는 영원히 작별해야 한다.

산 사람은 살아야 하고 죽은 사람은 죽은체로 놔둬야 하기 때문이다.

미안해.

그리고 고마웠어. 나의 소중한 가족들이여.

-외전의 끝-

안소영 후기

인간의 정체성은 살아오는 중에도 계속 변하고 영원한 건 절대 없다는 말로 안소영의 후기를 시작하려고 합니다. 누군가의 마음이 된다면 이라는 시리즈는 여성 레즈비언의 독립적인 이야기를 소설로 담고 있는 시리즈입니다. 첫번째 시리즈인 누군가의 마음이 된다면 에서는 퀴어 이전의 혼돈하는 3명의 여자 주인공인 양다혜, 안소영, 타케시 레몬의 이야기를 정체화하는데 집중했고 타케시 레몬에서는 흔들리고 방황할지언정 그리고 결말마저 불안정할지언정 앞으로나아가려고 하는 한 인간의 이야기를 다루었고 양다혜에서는 과거 어머니의 갑작스러운 자살로 트라우마에 시달리고있는 보라색 머리카락의 아이인 양다혜와 아버지의 학대에서 벗어나기 위해 사창가에서 몸을 팔아 돈을 벌려고 하는 안소영의 독립적인 이야기를 다루는데 집중했습니다.

안소영에서는 대한민국이라는 주류 사회에서 결코 인정받지 못하는 동성 가족이라는 형태의 이야기에 집중했습니다.물론 그들의 가족이라는 소중한 보물은 주류 사회의 탄압으로 인해 한낮의 밤을 꿈꾸는 무모한 이야기로 마무리가 되었지만 그들이 꿈꾸었던 동성 가족의 꿈은 한낮의 밤을 꿈꾸는 무모한 이야기가 아닌 계속 포기하지 않고 진행되어야합니다. 그게 강바다와 김지은이 바라던 꿈에 가까워지는 것이니까요.

다시 주제를 바꿔

171

"누군가의 마음이 된다면." 이라는 시리즈를 진행했었을때 저는 필요 이상의 비난을 받았습니다. 여성에 대한 성적대상화에 대한 소설 시리즈를 만든다, 보라색 물결 송시무스가 참가하는 북페어에서 보이콧 시위를 하겠다.어느 남성 페미니스트 유튜버는 개인적인 전화로 저를겁박했습니다. 그러나 저는 굴하지 않았습니다. 진심은거짓을 이기고 어둠은 빛을 이기지 못하는것을 알고 있기 때문입니다.

2023년 1월 30일 보라색물결이라는 출판사를 창립했을때 저는 다짐했습니다. 내가 할수 있는 만큼 소수자들 특히 여성 소수자들의 목소리를 담겠다고 제 자신한테 다짐했습니다. 그 어떠한 비난과 조롱을 기쁘게 받아드리겠다는 다짐도 굳게 다졌습니다.

동시에 기존의 퀴어 소설들에서 탈피하려는 새로운 노력도 잊지 않았습니다. 적당히 가볍게 읽을수 있는 일본의라이트노벨 식의 소설을 추구하지만 그 안에서 그저 의미없이 버려지고 한번 보고 잊어지는 그런 소설은 결코만들고 싶지 않았습니다. 처음 "누군가의 마음이 된다면" 소설 시리즈의 시나리오를 제가 잘 아는 편집자분과하나 하나 작성하면서 그런 생각은 더 굳어져 지금의 소설의 형태로 발전했습니다.

이제 "누군가의 마음이 된다면" 의 시리즈는 "은시현" 의 이야기만 남겨두고 있습니다.

형사 출신인 은시현이 어떻게 빌런이 되었는지

그리고 그러한 이유는 무엇인지에 대해서

설명하는 그런 내용으로 진행하려고 합니다.

끝으로 지금도 종교라는 이름으로

관습이라는 이유로

가부장제라는 이유로

남성한테 밀려나 능력을 인정 받지 못하는 여성들한테
연대와 지지의 말씀을 보냅니다.

이 책을 사신 독자분들한테도 감사의 말씀을 보냅니
다. 마지막 시리즈 "은시현" 에서 만나요!

-보라색물결 송시무스-

173

174

175

도서명 안소영

발　행 | 2024년 07월 16일
저　자명 송시무스
펴낸이 | 한건희
펴낸곳 | 주식회사 부크크
출판사등록 | 2014.07.15.(제2014-16호)
주　소 | 서울특별시 금천구 가산디지털1로 119 SK트윈
타워 A동 305호
전　화 | 1670-8316
이메일 | info@bookk.co.kr

ISBN | 979-11-410-9562-8

www.bookk.co.kr